BUZZ

© 2024, Gabriel Waldman
© 2024, Buzz Editora

Todos os direitos reservados.
Publicado mediante acordo com LVB&Co.
Agência e Consultoria Literária Ltda.

Publisher ANDERSON CAVALCANTE
Editoras TAMIRES VON ATZINGEN E DIANA SZYLIT
Editores-assistentes ÉRIKA TAMASHIRO E NESTOR TURANO JR.
Preparação LIGIA ALVES E CRISTIANE MARUYAMA
Revisão BEATRIZ LOPES E GABRIELE FERNANDES
Projeto gráfico ESTÚDIO GRIFO
Assistente de design JÚLIA FRANÇA
Ilustração de capa KARINA FREITAS
Fotografias de miolo ACERVO PESSOAL DO AUTOR

Nesta edição, respeitou-se o novo
Acordo Ortográfico da Língua Portuguesa.

Dados Internacionais de Catalogação na Publicação (CIP)
(Câmara Brasileira do Livro, SP, Brasil)

Waldman, Gabriel
Ingrid, a filha do comandante / Gabriel Waldman
São Paulo: Buzz Editora, 1ª ed., 2024.
160 pp.

ISBN 978-65-5393-292-0

1. Holocausto judeu 2. Romance brasileiro
3. Nazismo – Ficção I. Título.

24-195061   CDD-B869.3

Índice para catálogo sistemático:

1. Romances: Literatura brasileira B869.3

Tábata Alves da Silva, Bibliotecária, CRB-8/9253

Todos os direitos desta edição reservados à:
Buzz Editora Ltda.
Av. Paulista, 726, Mezanino
CEP 01310-100, São Paulo, Brasil
[55] 11 4171 2317
www.buzzeditora.com.br

Gabriel Waldman

Ingrid,
a filha do comandante

BUZZ

Para minha família, amigos e inimigos íntimos.
Para meus mártires e monstros que me perseguem até hoje.
Para todos que contribuíram na formação da minha alma e mente.

Toda grande dor pode ser suportável se você escrever sobre ela.
ISAK DINESEN

O apelo dos fundos dos tempos
Celso Lafer

Que apelo me chega
desta voz que emerge
de tão fundas águas?
É alguém esquecido
no fundo dos tempos?
Meu anjo vencido?
Meu duplo secreto?
Que apelo indizível
me chama, me grita
que esqueça, que durma
ou me divida em tantos
que nenhum seja eu?
Nem eu, nem ninguém.

EMÍLIO MOURA

I.

No contexto da estória que deu origem a este livro de Gabriel Waldman — *Ingrid, a filha do comandante* —, o mais criativo não é o que o autor recorda, mas sobretudo "como la recuerda, para contarla", como diz Gabriel García Márquez na abertura de *Vivir para contarla*.

A força da recriação literária da experiência de vida do autor provém do caráter redentor de sua narrativa: "Toda grande dor pode ser suportável se você escrever sobre ela", afirma a escritora Isak Dinesen, pseudônimo de Karen Blixen, em passagem que Hannah Arendt usou como epígrafe do capítulo v de *A condição humana*.

Hannah Arendt, grande admiradora de Isak Dinesen, atribuía especial importância à dimensão esclarecedora da narrativa. Também pontuava que é compreensível termos a necessidade de recordar nossas próprias experiências de vida e seus acontecimentos mais significativos para nós mesmos e para os outros.

Hannah Arendt fez essa observação refletindo sobre Lessing em um capítulo do seu livro *Homens em tempos sombrios*, os tempos sombrios da primeira metade do século xx com suas catastróficas políticas e seus desastres morais.

Gabriel Waldman, como uma criança judia na Hungria, viveu os tempos sombrios do nazismo e sentiu a necessidade pessoal de contar como concretamente sobreviveu a essa situação-limite, existencial e filosófica, na acepção de Karl Jaspers.

Nesse sentido, este livro conta uma estória. É uma narrativa de eventos e circunstâncias organizada no tempo. O que transforma uma estória num romance, observou E. M. Forster em *Aspectos do romance*, é o enredo, com o seu elemento de surpresa, e com seu componente de memória e inteligência, pois, se não nos lembramos, não compreendemos.

Ingrid, a filha do comandante é uma estória com enredo. O enredo é dado pelo entrelaçamento no tempo de duas contraditórias e paradoxais situações-limite: as perseguições do nazismo na Hungria — das quais os campos de concentração são um emblema — e a intensidade de um amor de jovem no Brasil, que se revelou a posteriori um "amor de perdição", pois a figura feminina que deslumbrou o autor era filha de um grande nazista, antigo comandante de campos de concentração. Daí o título *Ingrid, a filha do comandante*.

Gabriel articula a vivência de seu próprio enredo no como o recorda para contar-nos, buscando o entendimento de dois dos acontecimentos mais significativos de sua vida.

II.

A primeira situação-limite narrada neste livro é a dos tempos sombrios da presença do nazismo na Hungria, das perseguições antissemitas no horizonte do Holocausto. É seguida pela do refugiado da Hungria comunista que veio para o Brasil. Nele foi acolhido com sua mãe, mas, nesse contexto, perdeu o seu país de origem, a natural espontaneidade de sua língua — o húngaro — e o acervo do seu expressivo repertório literário.

A narrativa está permeada por inúmeras e ilustrativas passagens de como Gabriel, criança e jovem, sobreviveu a essas situações-limite graças à engenhosidade de sua mãe e aos acasos dos imprevistos. Foram desafios superados que ele, como tantos outros na Europa, enfrentou em sua vida em função da ruptura dos extremos que colocaram em questão os prévios padrões da normalidade das rotinas do cotidiano, para o qual o comunismo, sob a inspiração de Stálin, deu também a sua significativa contribuição.

Sedis animi est in memoria (a sede da alma está na memória), diz Santo Agostinho. A estória desta situação-limite vivida pelo autor insere-se na literatura de testemunho, dos muitos que não só lograram sobreviver, mas sentiram a necessidade de narrar a sua experiência do que foi padecer o sofrimento de uma pena sem culpa, que a política impôs na Europa do século XX.

Já instalado e acolhido no Brasil, o jovem Gabor na pele de Gabriel adolescente frequenta o curso de Madureza em São Paulo para ir lidando com o aprendizado da escolaridade das coisas, do país e do português. No curso de Madureza, encontra uma jovem, Ingrid, também enfrentando a sua aclimatação ao Brasil. Por ela se apaixona, descobre o encanto do amor e da sensualidade e descreve no seu livro o percurso do relacionamento nas andanças do casal em São Paulo daquele tempo — o Jardim da Luz, os cinemas, as confeitarias. Chega a frequentar no bairro do Brooklin a casa de Ingrid e a sua vizinhança alemã.

O relacionamento é bruscamente interrompido por decisão de Ingrid, uma decisão que deixa Gabriel perplexo, pois não compreende as não dadas razões da interrupção, tendo em vista a reciprocidade dos afetos e da atração que os unia.

O entendimento vem depois, quando descobre mais adiante quem é o pai de Ingrid, que ele conheceu ao frequentar a sua casa. O pai de Ingrid é Stangl, preso no Brasil e extraditado para a Alemanha por decisão do Supremo Tribunal Federal do qual foi relator o ministro Victor Nunes Leal.

Stangl não era um nazista qualquer. O caso Stangl, amplamente revelado pela imprensa, não é só um *leading case* de extradição no Brasil, é também o primeiro caso no qual o STF debruçou-se circunstanciadamente sobre os horrores do Holocausto, discutindo e examinando o papel de Stangl como chefe dos campos de extermínio de Sobibor e Treblinka. Escrevi sobre o caso Stangl, avaliei o luminoso voto do ministro Victor Nunes Leal e as manifestações dos seus colegas magistrados a respeito do genocídio como um crime inominável, irresgatável e que não pode ser julgado apenas à luz do rigor técnico. Por isso, posso aquilatar o que significa Stangl e como a sua conduta se entrelaça com a primeira experiência de Gabriel com uma situação-limite que marcou a sua vida e determinou os seus caminhos no Brasil.

Daí o mistério do enredo do livro. Como um judeu como Gabriel pôde primeiro apaixonar-se pela filha de um nazista, comandante de um campo de concentração, que ele conheceu pessoalmente na sua normalidade doméstica, e como, terminado o relacionamento e depois de saber que Ingrid era filha de Stangl, perdurou na sua memória a força do encantamento do relacionamento que tiveram.

Ingrid, a filha do comandante tem para o seu autor, como observei, o poder redentor de uma narrativa de seus sofrimentos, suas mágoas, suas alegrias, das perplexidades e das perguntas para as quais não existem respostas claras.

Os três mosqueteiros amigos que perpassam o seu livro foram um recurso por ele engendrado para testar, a partir da boa vontade de três distintas perspectivas e experiências, o verossímil das suas perplexidades provenientes do confronto com suas situações-limite, que vicejavam em surdina na sua memória.

Que apelo me chega/ desta voz que emerge/ de tão fundas águas?, como diz a abertura do poema de Emílio Moura, que escolhi como epígrafe deste prefácio.

III.

Tenho muita satisfação de prefaciar este livro de Gabriel, dados os laços de nossa amizade, que remontam a nossa juventude. É o que me permite dizer que, passada a borrasca de sua segunda situação-limite, da qual só agora tomei conhecimento, Gabriel foi tocando a sua vida. Exerceu a sua profissão no mundo empresarial, apaixonou-se novamente, constituiu família, teve filhos e assegurou as condições de vida de sua grei.

Gabriel sempre teve interesses intelectuais amplos, gosto e conhecimento pela história, em especial e compreensivelmente pela do século xx, como posso dar um depoimento, fruto de um longo convívio. No entanto, a sua rotina profissional impediu que isso desabrochasse em palavras escritas.

Foi a irrupção do que estava em surdina em sua memória que levou à realização deste livro. Foi o que deu a Gabriel a oportunidade de, no outono de sua vida, reinventar-se como escritor e testemunha do desafio da existência. É uma reinvenção bem-sucedida que merece a melhor admiração dos leitores de seu livro.

Celso Lafer é membro da Academia Brasileira de Letras e professor emérito da usp.

Apresentação do autor

Nasci na Hungria em 1938. Sobrevivi ao Holocausto com minha mãe, porém perdi meu pai e grande parte da família em campos de concentração na Polônia. Depois da guerra, foi o comunismo em sua pior vertente, o stalinismo, a nos castigar.

Em 1949, minha mãe decidiu fugir da Hungria. Passamos dois anos na Áustria, país neutro durante a Guerra Fria, à procura de um lugar fora da Europa que nos aceitasse como emigrantes. O Brasil nos aceitou, e para cá viemos em 1952.

Desde então, sem querer e sem saber, primeiro como estudante e depois nos vários empregos que tive, fui um polo de atração para nazistas fugidos da Alemanha e para seus simpatizantes. E isso por vários motivos: 1) eu falava fluentemente alemão; 2) minha cultura era europeia; 3) eu havia me formado em administração de empresas pela altamente prestigiada Fundação Getulio Vargas.

Havia ainda um quarto motivo que eu desconhecia na época: as empresas alemãs, repletas de profissionais vindos da Alemanha, quase todos ligados, em maior ou menor grau, ao nazismo, sentiam a necessidade de um contrapeso para seu quadro de funcionários suspeitos. Se alguém os acusasse de nutrir simpatia pelo nazismo, eles poderiam responder: "Nós não fazemos distinção. Temos até judeus na empresa!".

Nem mesmo meu namoro com Ingrid posso atribuir exclusivamente ao meu charme irresistível ou à minha personalidade cativante. Na escola, só nós dois falávamos alemão fluente — e falávamos um português sofrível. Além disso, tínhamos no histórico pessoal a guerra, a fome, bombas e fugas, ainda que em polos opostos. Apreciávamos Mozart, enquanto nossos colegas preferiam Cartola e Maysa. Fomos praticamente empurrados um no braço do outro pelas circunstâncias.

Incubei esta história, verídica em sua essência, em um canto doloroso, purulento da minha consciência durante mais de sessenta anos. Junto a ela, também reprimi as perguntas que, no entanto, se recusam a calar: será que Ingrid salvou a minha vida? (E eu nem mesmo a agradeci por isso!) Por que ela namorou um judeu? Por que seus pais me receberam com carinho? Por que ela demonstrava tamanha tristeza enquanto terminava nosso namoro?

Este livro não procura pelas respostas que provavelmente nunca terei. Procura apenas livrar minha alma das trevas.

Minhas dores se converteram em palavras. Agora, Isak Dinesen, peço de volta minha paz de espírito.

Ingrid, a filha do comandante

1

Assisto ao filme *A lista de Schindler* e, enquanto vejo o horror, reflito sobre Ingrid e os monstros sagrados ou nefandos que todos nós portamos em nossa alma. Segredos de ternura e de amor desperdiçados e saturados de remorso; outros, tenebrosos, inconfessos e inconfessáveis. Todos eles acorrentados e presos a sete chaves nos recônditos mais íntimos e profundos de nosso ser, a salvo da incursão dos escarafunchadores da alma e apenas vagamente intuídos por nós mesmos em pesadelos e devaneios. (Assisto à cena da execução randômica dos presos realizada por Amon, comandante do campo.) Os segredos dormitam como Belas (e Feias) Adormecidas, quietos, contidos, e, no suspiro final de seus donos, despertam e se esvaem silenciosos, invisíveis pela última contração dos lábios e pela derradeira torção das narinas. E levam consigo sua carga pesada de ressentimentos, mágoas e culpas. (Na tela, a cena da execução dos judeus na cidade.)

Mas nem sempre é assim. Às vezes basta uma palavra, um incidente ou um filme como esse de agora para acordar e libertar os fantasmas que nos assaltam insinuante e amorosamente ou arrastando suas correntes enquanto uivam em fúria. Cabe a nós, então, confrontá-los, apavorados e constrangidos, antes da hora fatal.

Penso assim, um tanto pomposo, enquanto assisto assoberbado ao filme com meus amigos, os Três Mosqueteiros que eram quatro, o D'Artagnan (eu) incluso. Como no livro de Dumas. No início de nossa amizade, eles me toleravam um tanto relutantes devido a meu português claudicante, frequentemente incompreensível, e sotaque atroz. Eu era uma espécie de peça de museu, cada vez mais rara, por ser o único sobrevivente do Holocausto no grupo, e, ainda por cima, um autêntico fugitivo do comunismo. Nas horas vagas sou escritor, autor de alguns livros medíocres que os Três Mosqueteiros elogiam por caridade e que colhem poeira nas livrarias. Alan, Celso, Mario e eu, Gabriel, o refugiado húngaro, contemplamos as imagens sem mexer um músculo, as pupilas coladas na tela. Os Três Mosqueteiros que eram quatro.

Já não sei mais a que altura do filme Ingrid aparece à minha frente na escuridão do cinema. O fantasma-mor, a fúria mais rebelde de minha alma, a guardiã do segredo mais bem guardado de meu passado turbulento. Ela não arrasta correntes como os fantasmas traquinas habitualmente fazem, nem precisa. Está acorrentada a mim indelevelmente pela nossa história comum. A alemã, filha de um herói incensado do Terceiro Reich e genocida da gema, exibe sem ostentar sua condição ariana com ascendência racial impecável. Cordeiro em pele de lobo que trota com a alcateia, mas que, no fundo da alma, é cordeiro manso e ama um judeu proscrito, e que, pelo amor que me dedica, dobraria sem hesitar os joelhos e recitaria o *kadish** diante do tumulo dos mártires. Cabelo loiro flamejante em rabo de cavalo, olhos azuis de agredir a vista de quem os contempla, uma verdadeira Lorelei das lendas germânicas, para quem se liga apenas ao visual. Uma simbiose da piedade de Madre Teresa de Calcutá com a determinação férrea de Scarlett O'Hara, para quem sabe ler os códigos do coração.

— Olá, Ingrid — cumprimento-a. — Você deveria aparecer na hora do meu último suspiro. Antecipou-se um pouco.

— Pois é, Gabor. — Meu nome em húngaro. — E quem resiste à *Lista de Schindler*?

---

* Prece dita pelos judeus enlutados. (N. E.)

(Cena de Amon executando os presos.)

— E agora, Ingrid, o que você diz? Entre seu pai e o imperativo "não matarás", qual deles você escolhe? Entre mim, o "judeu", e a ideologia racial, qual é a escolha mais justa?

Eu nem precisaria perguntar: a resposta brilha em seus olhos, no beijo que ela deposita em meu rosto, nos cabelos que colam em minha face, e eu a abençoo por isso. Percebo, alarmado, que cada vez mais eu penso e vejo o filme com os olhos de Ingrid.

Precisamente às dez horas daquela noite de primavera desconcertante de calor tropical intercalado por instantâneas rajadas de vento gélido, saímos do Cine Belas Artes. Zonzos, desequilibrados depois da surra na sensibilidade e no sistema nervoso, uivamos por uma caneca de chope para lubrificar a garganta seca e acalmar as emoções. Desabamos no bar Riviera, do outro lado da rua da Consolação. Os chopes já estão na mesa junto com um prato de frituras e ninguém fala nada. Não por falta de esforço. O silêncio nos sufoca, ansiamos por recuperar algum semblante de normalidade. Mas falar o quê? Detalhes técnicos do filme? A posição da câmera, talvez? A iluminação? A interpretação? Pura banalização; só as vítimas têm o direito de testemunhar sobre aqueles dez anos da noite interminável e tormentosa da história, e elas não têm mais voz. E eu continuo a pensar em Ingrid com uma dolorosa saudade e uma ponta de culpa.

Já estamos quase nos despedindo para cada um voltar à casa com a alma pesando nos calcanhares·e os pensamentos voando em torno do filme e seus trechos fortes, inesquecíveis. Mario finalmente encontra as palavras certas. Não são palavras humanas, pois ninguém, vivo ou morto, dispõe da autoridade moral para verbalizar o sagrado. O Holocausto exige introversão, reverência, oração e lágrimas. E talvez um "amém" contrito. Tudo a mais seria sacrilégio. Ele declara, olhando para dentro de sua alma:

— A ira do Senhor se abate sobre dez gerações de quem ouse levantar o braço contra Seu Povo. É o que diz o livro sagrado.

A perspectiva de uma justiça divina alivia-nos prontamente. O caso agora está numa instância mais alta, não somos mais protagonistas responsáveis por nossa contemporaneidade.

Nossas almas apaziguadas voltam a seu devido lugar, no peito, e os pensamentos finalmente enxergam a luz do dia na escuridão do desespero. Agora sim podíamos pensar em nos recolher, consolados pelo enunciado bíblico e reconfortados pelo castigo infalível que fatalmente atingirá os infratores da sentença divina.

Alan ainda procura contestar:

— Não me lembro dessa profecia no Talmude. Não seria apócrifa?

Mario dá de ombros, e diz:

— E a Torá e a Bíblia não o são? Ou você pensa que um dia Deus sacou sua esferográfica e escreveu de próprio punho os livros sagrados? Foram profetas e rabinos que os escreveram, e em alguns casos os *cometeram*. Séculos depois, algum burocrata da religião, satisfeito com seu desjejum, apôs-lhes o carimbo "Imprimatur", e eles ganharam prestígio e autenticidade. — Então, ele me mede de alto a baixo e acrescenta, com um escarnio cruel: — Que nem os teus livros, Gabor. Jamais saberemos se são biográficos mesmo ou se são pura fantasia de escritor.

Não respondo. Deixo a discussão sobre a profecia ficar entre os dois amigos. Para que me expor?

Sentindo a dúvida desfeita, Mario acrescenta, para reforçar as palavras inspiradas:

— Ai de nós. Desta vez, não bastarão dez gerações.

Frase perfeita para a ocasião. Inconteste, definitiva. Alguns de nós talvez se ajoelhem antes de dormir, agradecendo-lhe a bondade de ter tirado o peso do Holocausto de nossas costas. Crime e castigo, como diria Dostoiévski, nessa ordem infalível. Bom sono.

Celso pede a conta e apenas eu fico sentado, pensativo, hesitando entre o silêncio, com a perspectiva de uma noite de sono reparador, e a oposição às palavras de Mario, acompanhada por uma noite turbulenta de discussões. E lá mesmo, no assento plástico do bar Riviera, passo a remoer minha história pessoal.

"A maldição de Deus não deveria se dirigir a mim, apesar de eu pertencer ao 'Povo do Senhor'?", pergunto-me. "E Ingrid, não seria ela a injustiçada, apesar de pertencer ao povo que levantou o braço?" A vida é por demais complicada. Um turbilhão em perpétuo movimento no qual o joio vira trigo, o certo vira errado e vice-versa em frações de instantes. Um redemoinho de ilusões num caleidoscópio desvairado. Penso nisso e quero logo revogar o pensamento, pois não sei como transmiti-lo a meus amigos.

Mas urge dizer algo, não posso deixar a hipocrisia vencer só por ser a solução mais cômoda. Celso já está pagando a conta, e Mario calcula a parte que cabe a cada um de nós; os olhares convergem para minha postura conspicuamente inerte, como quem não pretende levantar tão cedo assim. Sei, porém, que enunciar o que penso resultaria numa noite de revelia e quatro almas confusas. Tarde demais:

— Dez gerações, você diz. — Encaro Mario relutante, porém com desafio. — Mas, quando Eros e Thanatos, em conluio íntimo, se apossam de nossas almas, aí sim se pode encontrar um atalho entre as gerações danadas e o perdão do Senhor.

Tenho a impressão de repetir o que Ingrid sussurra em meu ouvido.

Alan me rebate da altura de seu diploma de psicólogo:

— Caraca, amigo. Eros e Thanatos, amor e morte, são pulsões antagônicas em extremos opostos do espectro psicológico.

Admiro a precisão léxica de seu raciocínio. O próprio Freud não diria melhor. Ele continua:

— Um ou outro prevalece em nossa vida. Jamais os dois juntos.

Decido apelar, e dane-se a noite de sono. Em deferência a meus amigos, procuro evitar ares de intelectual esnobe e imprimir a minhas palavras a leveza de mera hipótese:

— Pelas teorias antigas de astrofísica, o homem jamais chegaria aos confins do universo. A duração limitada da vida não permitiria.

Mas, pela teoria da relatividade, existem atalhos no espaço, os tais "buracos de minhoca" jamais comprovados, que aparecem nos cálculos matemáticos e permitem encurtar a jornada. Se existe no espaço, por que não na psicologia? Usando a imaginação, por que não diminuir a distância entre os dois extremos, Eros e Thanatos? E, indo só um pouquinho mais longe, por que não buscar algum atalho, algum "buraco de minhoca" entre as dez gerações danadas da Bíblia? E encurtar a duração do castigo?

Alan interrompe no limite de sua paciência:

— Agora chega, Gabor. Não basta ser diletante em psicologia dando seus palpites? Quer dominar também a astrofísica? É demais, mesmo levando em conta tuas pretensões. Além disso, para que encurtar o castigo? Pelo que os nazistas fizeram, mereceriam mais vinte gerações de danação.

— E daí? O que o tataraneto tem a ver com os pecados dos tataravós? Nós aprendemos isso há muitas e muitas gerações por experiência própria e abolimos a lei de talião. Deus deve ter aprendido bem antes de nós que errou na Bíblia. Se não fosse assim, Ele não seria Deus. Mas ele é Deus, e portanto a frase de Mario é apócrifa. Vingança gera retribuição, que gera vingança, que gera retribuição, e assim vai. — Paro e crio forças para concluir o pensamento que sei que terá um efeito devastador. — Além disso, eu experimentei e percorri cada milímetro do tal do buraco de minhoca, cada ano-luz de sua extensão — respondo, já calmo e resoluto, e penso novamente em Ingrid, desta vez sem saber exatamente o que penso.

Exauridos pela noite, todos anseiam por sua cama, mas apesar de tudo eles respeitam meus conhecimentos, em especial minha vivência em relação ao Holocausto. Sou pretensioso, talvez, admito que às vezes floreio, mas nunca inventei nada que não tivesse fundo de verdade. E eles sabem disso.

O grupo volta a sentar a contragosto, mas o espanto ganha do cansaço. Celso desafia-me, curto, inapelável e um tanto desconfiado:

— Conte.

2

O bar Riviera é barulhento, a luz mortiça de neon no teto é agressiva e vulgariza o ambiente. As lâmpadas piscam nervosamente, aparentando má disposição, como se também tivessem assistido à *Lista de Schindler*. "Vão para casa", parecem dizer. "Queremos apagão geral. Um filme desses exige a potência de um arco voltaico. Modestos fluorescentes como nós não suportamos tamanha tensão." As mesas em volta, ocupadas por gente barulhenta, contrastam com nosso estado de espírito sombrio e mais ainda com a história que estou prestes a contar. Proponho irmos à casa de um dos Três Mosqueteiros e decidimos pela de Celso, espaçosa e convidativa. Chegando lá, escolhemos a biblioteca forrada de livros com bafo de sabedoria, como apelidamos aquele aroma peculiar de cachimbo com um ligeiro cheiro de mofo, realçando a origem vetusta do ambiente, e que inalamos avidamente. As poltronas de couro capitonê amplas e confortáveis arrematam o ambiente propício para meu relato. A empregada oferece chá com limão e rum ou chá com leite. Eu escolho o leite. Sei que o tempo urge, o cansaço não permite amenidades nem prolongada introdução. Deixo a xícara com a infusão descansar sobre o espaldar da poltrona e começo sem rodeios.

3

— A história exige uma retrospectiva — começo. — Procurarei ser piedosamente conciso, eliminando todas as adiposidades sentimentais, se for possível fazer isso diante da onipresença diurna da morte violenta. Então, acomodem-se, experimentem o chá e vamos lá.

"A Hungria fora invadida pelas tropas alemãs no início de 1944. Foi o último país invadido pelo já agonizante Exército alemão, um ano antes do fim da guerra. Lembro-me dos tanques pesados, dos caminhões repletos de tropas, do asfalto das ruas rachando sob o peso inesperado da invasão. Desde o primeiro dia da ocupação, jorravam instruções aos judeus sobre repressão, proibições e obrigações, todas elas sombrias. No início até que eram toleráveis, se bem que irritantes pelo desrespeito à dignidade humana: a obrigação de usar a estrela de Davi costurada em lugar bem visível da roupa; a proibição de possuir animais domésticos (os judeus tinham de doar ou executar os bichinhos pessoalmente); a permissão para sair à rua apenas entre cinco e sete horas da noite, quando o comércio já estava fechando. Parques, cinemas, locais públicos haviam sido interditados. Depois vieram os decretos pesos-pesados: deportação e execução.

"Os judeus já haviam se acostumado e aprendido a viver na condição de cidadãos de segunda classe na Hungria fascista pré-invasão. Agora, porém, mesmo essa classe inferior fora abolida.

Para todos os efeitos, os judeus não existiam mais. Passaram a roedores e insetos peçonhentos destinados à extinção, sem direito nenhum a não ser o de morrer. O horizonte do futuro se estreitou ao minuto seguinte; além disso, só para quem fosse cartomante ou astrólogo. Frequentemente eu me pergunto como minha mãe, nascida no início do século xx, quando os direitos da mulher eram uma abstração, educada como 'princesa judia', com mimos infinitos (embora as decisões fossem sempre tomadas pelos pais, pela família e depois pelo marido), despertou de sua letargia resplandecente. De repente ela despencou em um mundo sem marido, a família dispersa, no qual decisões instantâneas de vida e de morte desabavam em série sobre seus ombros.

"Como mágico infalível, ela tomava decisões a cada instante, tirando um coelho após o outro de uma cartola imaginária, e, ainda como se fosse jogadora profissional, jogava escandalosamente com cartas marcadas e dados viciados. E ganhava sempre. Não perdia nunca. Bombas, artilharia, fome, extermínio, e ela, como boia perdida em pleno oceano, altaneira, insubmersível. Eu, pendurado em seu pescoço, boiando junto. Não há estatística, predestinação nem sorte que explique tamanha resiliência. Entre as inúmeras decisões a tomar, bastaria uma errada e tudo acabaria. Se tivesse de criar uma imagem, escolheria a do trem-fantasma. A cada volta aparecia um espantalho diferente. Só que o trem não tinha saída. E os espantalhos eram reais.

"Como se não bastassem as agruras da perseguição racial, o perigo imediato, sofremos também as consequências da guerra. A fome persistente, por exemplo. Judeu não tinha direito a cupom de racionamento, e dependíamos de nossa ex-empregada fiel (demitida, pois judeu não podia empregar ninguém), que nos trazia parte de sua própria ração para não morrermos de fome. Principalmente pão *ersatz*, preparado com casca de batata, bagaço, sabugo de milho e casca de árvore moídos e sei lá o quê mais. Farinha de trigo, nem pensar. Um dia, a moça quebrou o braço e não apareceu por uma semana. Mamãe escutou então as palavras mais duras que uma progenitora pode ser obrigada a escutar: 'Mamãe, estou com fome'. E ela não tinha nada a oferecer a não ser carinho e uma massagem na barriga.

"Nada, porém, se igualava à sede. O suprimento de água de Budapeste vinha do Danúbio, que atravessa a cidade. Repleto de cadáveres em decomposição, a água não servia mais para beber. A qualquer pausa na batalha entre os exércitos soviético e nazista em Budapeste corríamos para o quintal do prédio para ferver água, matar os micro-organismos e ter água potável, caso contrário a sede era insuportável, e o corpo desidratado potencializava a desnutrição."

Fiz uma pausa e perguntei aos Mosqueteiros, pasmos:

— Basta isto ou querem mais? Pois então aqui vai mais: a temperatura muito abaixo de zero, o ar poluído pelas batalhas de rua e nossos organismos enfraquecidos. As doenças pulmonares grassavam. Como antídoto só havia os remédios caseiros, em geral fruto de superstições e crendices: gargarejo com água morna e sal ou vinagre, compressa de urina (se possível a própria) no peito. Diante desses remédios e dos demais castigos do corpo, deixar-se morrer parecia uma opção razoável. Perguntada sobre como pretendia enfrentar tudo isso, mamãe respondia com a calma e a sabedoria de um monge budista: "Um leão por minuto, por favor. Não dou conta de mais que isso".

"Além de enfrentar os obstáculos do momento, minha mãe tinha de planejar o aleatório, nosso frágil e improvável futuro. Em síntese, havia três opções para morrer ou talvez (uma remota possibilidade) para sobreviver: a primeira seria mudar para o gueto. Sabia-se, porém, conforme rumores vindos principalmente da Polônia, que o gueto era apenas uma passagem provisória para os 'campos'. Para a morte em câmaras de gás. A segunda opção seria esconder-nos, contando com a ajuda de simpatizantes. Mas como? Onde? Quem iria pôr em risco a própria vida e a de sua família para nos salvar? E, mesmo se encontrássemos alguém, poderíamos pedir tamanho sacrifício? Ou ter tamanha confiança? Ou... ou...

"A terceira opção envolvia os países neutros na guerra. Eles alugavam prédios e os colocavam sob sua proteção consular. Recebiam refugiados políticos e raciais perseguidos. Os principais países neutros eram Espanha, Suíça, Suécia e o Vaticano. (Sim, o Vaticano, sob o papado de Pio XII, frequentemente acusado de simpatizante dos nazistas, salvou muita gente.)

"Minha mãe escolheu a última opção. Parecia a menos arriscada para uma mulher com uma criança de seis anos. A questão se resumia a uma pergunta apenas: qual país merecia nossa confiança e em qual deles obteríamos o tão almejado salvo-conduto?

"A Espanha seria mais segura, pois o caudilho Franco, filho da puta e que Deus o tenha, era o único que reconhecia o regime títere nazista na Hungria. Recebia em troca disso a proteção 'razoável' dos alemães e da 'cruz de flecha' (milícia nazista húngara). As demais embaixadas tinham proteção 'relativa', dependendo dos caprichos dos nazistas locais. Os russos já estavam no leste da Hungria e o país, zona de guerra, livre de leis e regulamentos, à discrição dos comandantes locais.

"O salvo-conduto espanhol, portanto, constituía objeto de desejo de todos os perseguidos. Só que, sob a égide da lei da oferta e da procura, os espanhóis cobravam caro por sua proteção. Mamãe não tinha meios para comprá-la e optou então, resignada, pela proteção suíça, gratuita. 'Seja o que Deus quiser', exclamou. 'Vamos em frente.' E Deus quis (ou seria mais um coelho da cartola?), de maneira inesperada.

"Um tio dela, médico, diretor da seção de urologia do Hospital das Clínicas de Budapeste, fora herói na Primeira Guerra Mundial e detinha a medalha da imperatriz Maria Teresa, a mais distinta condecoração por atos de heroísmo. Constituía a única exceção na perseguição aos judeus que os nazistas respeitavam (provisoriamente, com certeza) em sua sanha assassina. O tio perdera seu cargo de diretor, mas continuava no hospital como simples estagiário, submetido a mil restrições. Esperava sua vez na fila da Solução Final.

"Um dia, apareceu em seu consultório um oficial, em uniforme estranho, porém, pelas insígnias, de alta patente. Tirou o quepe e depositou-o cuidadosamente sobre a mesa do médico. Depois se apresentou: 'Esteban, Exército espanhol, coronel da divisão Condor', disse em alemão com sotaque ibérico. Com isso, desfivelou a calça e deixou-a deslizar até o calcanhar. 'Sou imune às balas russas', disse, e coçou com abandono um vistoso furúnculo na base do escroto. 'Mas, quanto às putas húngaras, não há quem possa com elas.'

"'Sífilis', exclamou o tio. Depois, para tranquilizar o espanhol, acrescentou: 'O tratamento dura umas cinco semanas. Até lá, esqueça a guerra. Enfim, veja o lado positivo: as putas húngaras podem ter salvado a sua vida', acrescentou, como que defendendo a reputação das marafonas pátrias.

"Daí para a frente, o coronel ia até lá todos os dias e se submeteu, sem queixumes, ao doloroso tratamento que incluía o alargamento da uretra. Esse tio-avô deve ter sido um excelente médico (eu mal o conheci), pois curou-o no tempo previsto, o que, na época, sem penicilina, não era pouca coisa. A cura coincidiu com a chegada dos russos e o início da batalha por Budapeste. O espanhol, agradecido, perguntou, embaraçado: 'Na Espanha sou um homem rico. Mas aqui não tenho nada. Talvez possa transferir seus honorários para algum banco suíço...'.

"Meu tio-avô contemplou aquele rosto moreno andaluz longa e cuidadosamente, como se quisesse guardar na memória cada traço, cada ruga e verruga. Grato e comovido, ele queria prolongar aquele instante para sempre. Quanto tempo fazia que ninguém o tratava com civilidade, como gente.

"'Guarde seu dinheiro, senhor príncipe', exagerou. 'Arrume meia dúzia de salvo-condutos para um prédio protegido pela embaixada espanhola. Vida por vida. Eu cuidei da sua, e sua excelência poderia, quem sabe, salvar a da minha família.'

"'Conde, apenas conde, doutor. Mas um conde rico que vai se lembrar do seu gesto de competência e de carinho', acrescentou, para impressionar seu salvador ou a si mesmo e, principalmente, para levantar o moral de um altivo conde vencedor na guerra civil da Espanha, agora reduzido à mendicância e, ainda por cima, com uma guerra praticamente perdida nos ombros. 'Sabe', confessou, 'eu me voluntariei para lutar na frente russa. Para salvar a Europa da barbárie das estepes e do comunismo. Mas aí eu vi coisas... e agora me pergunto se valeu a pena. Qual delas seria o pior: a empáfia alemã ou a barbárie russa? Enfim, não deveria ter saído da minha Espanha.'

"Deprimido pela eterna perseguição, sina dos judeus, o tio exclamou amargamente: 'Lá também não era muito diferente. Em vez de câmara de gás, havia inquisição e fogueira. Queria ter nascido esquimó, chimpanzé ou qualquer outra coisa que não fosse judeu'.

"O espanhol pensou um pouco; não queria contrariar o médico em seu imenso desespero. 'Não é a mesma coisa', disse finalmente. 'Mede-se o estágio de uma civilização pela forma como trata seus inimigos. Os povos primitivos simplesmente aniquilavam-nos. A evolução, porém, legou-nos um tratamento mais sofisticado, com mais nuances e humanidade em relação aos povos vencidos. Nós queimávamos os judeus. Não me orgulho disso, mas antes oferecíamos duas alternativas: conversão ou emigração. Perseguimos uma religião, que se pode mudar, não uma raça, que é um destino. A Alemanha, pelo contrário, pretende extinguir uma raça. Sem exceção, sem saída. De qualquer forma, a Inquisição aconteceu há cinco séculos. A humanidade, em vez de progredir, regrediu muito desde então, não é mesmo?'

"Voltando a sua própria desgraça, o espanhol contemplou seu pinto revigorado para ganhar alento com a única porção de sua existência que, afinal, estava dando certo. 'Nem tudo está perdido', rejubilou-se. 'E quer saber? Já o experimentei e funciona', arrematou. 'Renasceu das cinzas.'

"O tio-avô, alarmado, perguntou: 'Experimentou com quem? Com mais uma infectada?'.

"O espanhol sorriu, tranquilo. E, para apaziguar as piores suspeitas de seu médico, acrescentou rapidamente: 'Uma condessa húngara. Arruinada, mas sempre condessa. O sangue real aflorava a cada palavra, a cada gesto. Tinha de ver a leveza e a finura com que segurava o garfo e a faca, mesmo que fosse para comer lentilha seca e cortar carne de cavalo. Como se fosse blini com caviar'.

"Meu tio não se deixou impressionar. 'E será que estava limpa?'

"'Você nem imagina com que delicadeza e carinho ela fazia a higiene de minhas partes íntimas com autêntica lavanda francesa, usando lenço bordado com as armas de sua família. Morria de fome, mas não abria mão das sobras da antiga plenitude e finura. Quis compartilhar com ela minha recém-aprendida praticidade adquirida a duras penas na lama das trincheiras e pedi, vulgar como um *parvenu* qualquer, que ela trocasse os perfumes e os lenços bordados por um quilo de lentilha. Ela me fitou de esguelha, com um leve toque de condescendência antigamente reservada a camareiras e lacaios relapsos, e disse que eu não podia estar falando sério. Me dê o supérfluo, que sem o essencial eu vivo muito bem, ela disse. Pois a condessa era da minha tribo, da minha casta. Virava puta, mas citava Oscar Wilde e não abria mão da lavanda autêntica. Por um mágico e mirabolante instante, ela me livrou da sujeira e dos piolhos das trincheiras, e eu me senti novamente na corte de Castilha, fazendo mesuras, com o corpo todo se retorcendo como o de um Nijinski promovido a cortesão. E sentia profunda contrição por sugerir à minha princesa que optasse pelo estômago em detrimento do espírito. Quanto à limpeza, o puro sangue azul deve possuir anticorpos contra intrusos vulgares como a *Treponema pallidum*. A estética é soberana, e a finura do comportamento, a delicadeza majestosa do corpo e da alma jamais permitiriam infectar uma rainha igual a uma puta da sarjeta'. Baixou a voz, a afirmativa perdendo a firmeza e virando mera pergunta: 'Não acha, doutor?'. E fitou o médico, ansioso pela resposta.

"O doutor perdeu a paciência. 'Conde, o senhor é um forasteiro que despencou aqui, e portanto tem direito a todas as ilusões devidas a um estranho no ninho. Mas pense bem. Está urdindo um conto de fadas em plena orgia de vampiros. Milhões de inocentes morrem a sua volta enquanto o senhor e sua condessa ensaiam vosso *pas de deux* romântico. É hora de despertar. Quanto à soberania da estética, não sei, não. A natureza é rude, e grosseira, e viceja nas labaredas cósmicas das supernovas, na voracidade sem limites dos buracos negros que consomem um sistema solar por refeição. Quer meu conselho? Volte correndo para a Espanha, onde ainda se praticam os rituais e as mesuras da corte. Mas aviso: será por pouco tempo. A conflagração da barbárie já está se aproximando, e a natureza, insensível e cúmplice do caos, sempre vence. Os buracos negros estão com fome.'

"Enquanto o médico falava, o conde empalidecia progressivamente. Depois, levantou-se, as duas pernas tremendo, o cenho franzido, os ombros caídos, e não disse nada, mas botou na mesa meia dúzia de salvo-condutos e desapareceu para sempre. Não deixou endereço, nem seu sobrenome soubemos. 'Adeus, fidalgo da estirpe de Dom Quixote. Vieste para duelar infinitos moinhos de vento dos pérfidos bárbaros das estepes; agora é tempo de retornar à sua querida Andaluzia, ao lado da sempre fiel Dulcineia, sem manchas nem máculas, igual ao Exército alemão na frente russa que você tanto venerava.'

"Porém, amigos Mosqueteiros, querem saber uma coisa? Nosso espírito enrustido e endurecido prevaleceu. E daí que ele sumiu? Não seria o primeiro nem o último a cruzar nosso caminho e depois ser engolido pela guerra. Além disso, quem se preocupa com o destino do coelho depois que ele saiu da cartola? E, falando em coelho e em cartola, todos os olhos na Casa Suíça convergiram para mamãe quando ela recebeu os salvo-condutos.

"Agora era só mudar para o prédio espanhol na mesma rua onde estávamos, a uns duzentos metros de distância, e finalmente estaríamos quase salvos. Porém, não era tão simples. Os quase trinta graus abaixo de zero tornavam qualquer deslocamento um desafio à fatalidade. Desnutridos, pior ainda. Depois havia as batidas da 'cruz de flecha' à caça de judeus.

"O tio médico (novamente ele) mandou recado dizendo que havia um guarda civil que ele subornava regularmente e que podia nos escoltar até o prédio novo. Traria também roupas quentes que nos faltavam. Só que o homem estava de serviço e ficaria disponível apenas na semana seguinte. Era pegar ou largar. Todos no prédio aconselharam que esperássemos o guarda chegar. Alguns dias apenas, diziam. Que diferença faria? O problema era que dessa vez minha mãe não achava coelho em sua cartola. O que fazer? No fim, ela esboçou um sorriso nervoso que a qualquer instante podia se dissolver em choro convulsivo.

"'Vamos já', ela decretou. 'Prefiro morrer de pneumonia a ir parar em uma câmara de gás. Pneumonia seria nossa própria morte privativa. Exclusiva e inalienável. Não vamos dar a satisfação para o filho da puta (como ela sempre se referia a Hitler) de se regalar com mais dois cadáveres.'

"Pois mudamos. O novo prédio oferecia mais conforto, quartos maiores, comida um pouco mais generosa. Os inquilinos, de classe social mais elevada que os refugiados no prédio suíço, compreendiam ex-ministros e conselheiros de Estado, gente fina e rica em seu tempo, agora reduzida a foras da lei como nós. Mas, como dizia o espanhol, berço é berço, e, além do *Treponema pallidum*, nós também sabíamos detectar e apreciar a finura das origens.

"Na terceira noite no novo prédio a poucos dias do Natal de 1944, escutamos rumores tenebrosos vindos de trás da cortina de neve que caía em ondas opacas e densas. Gritos de dor, urros de pavor e risadas de puro sadismo. Lembravam sons das romarias dos infectados nas pandemias da Idade Média, com autoflagelação e mortificações de toda espécie. De repente a cortina de neve cindiu, e apareceu o cortejo. Sim, eles mesmos, os inquilinos do prédio suíço onde morávamos antes. Trinta graus abaixo de zero, lá estavam eles, os meus amiguinhos, de camisola, muitos deles descalços: Pista, que já tinha cinco anos e ainda fazia xixi na cama, para grande desgosto de seus pais; Zoltán, cuja mãe ensinava-lhe com afinco o jeito elegante de comer à mesa, garfo à esquerda, faca à direita, coluna ereta... Um soldado o fuzilou por chorar, e ele caiu na sarjeta, a coluna dobrada e retorcida de qualquer jeito. A mãe não aprovaria sua maneira desengonçada de morrer, com certeza. A cada passo, os pés descalços das crianças grudavam nos paralelepípedos cobertos de gelo, e os soldados arrancavam-nos, deixando rastros de sangue e nacos de pele e de carne para trás. A procissão rumava direto para o Danúbio, onde até mesmo os salgueiros perfilando ao longo do rio com suas ramagens tristonhas vergadas acariciando as águas sabiam o que aconteceria em seguida: divididos em grupos de dez, eles seriam amarrados como ramalhetes de flores, com arame farpado. Um deles seria fuzilado, e o grupo, arremessado no rio. O cadáver puxaria todos para o fundo. 'Para não desperdiçar munição, que anda curta', riam os milicianos.

"Logo, porém, a cortina da nevasca obliterou o cortejo, os gritos e tiros distanciaram e eu, mesmerizado pela neve caindo plácida, singela e indiferente ao horror, passei a pensar — milagre da autopreservação — em Natal, enfeites e presentes. Afinal, a cena destoava do sentido festivo e carinhoso de Natal. E eu não estava sozinho. As demais testemunhas nas sacadas e nos balcões dos prédios vizinhos também se recusavam a aceitar o horror, submetiam-se mansamente à incredulidade, à rejeição do que viam à sua frente, mais tarde à corrosão do tempo, às convenientes falhas da memória e, finalmente, ao apagão bendito da morte. E logo mais o horror do prédio da rua Sziget seria apenas um episódio a mais da guerra, afundando lentamente no lamaçal da história até aflorar, quem sabe, muitos anos depois, no rodapé de algum livro didático pedante que ninguém lerá.

"Descansem em paz, mártires da rua Sziget, ao lado de inúmeras outras vítimas inocentes da história, como as do massacre da noite de São Bartolomeu, acontecido no ano de mil quinhentos e... não me recordo mais. Alguém se lembra delas? Não? Eu sabia."

Os Mosqueteiros continuam me ouvindo, pasmos.

— Amigos, cada geração concebe suas próprias noites de São Bartolomeu, cada vez mais aprimoradas, cada vez mais cruéis, para nos lembrar, como disse o espanhol, de que o progresso da civilização, na verdade, é um regresso...

"A neve continuou a cair na rua Sziget em flocos brancos, alegres e sutilmente perversos, obliterando suavemente o sangue e os detritos humanos na rua. Um lençol branco, virginal, sem mácula, passou a cobrir o inconcebível. Deus nas alturas cuida zelosamente dos sinais vitais de Seu Universo. E não tolera desvios. Esconde-os.

"Afinal, a guerra terminou, a Alemanha foi vencida. Eu perdi meu pai (um sobrevivente contou que foi no 'campo' de Mauthausen) e quase toda a minha numerosa família. A morte imperava, mas, em vez de prantear os falecidos, celebramos os poucos que voltaram dos 'campos'. Cada um deles representava uma vitória sobre o opróbrio e uma exceção que ninguém esperava rever. Iniciamos então a tenebrosa tarefa de refazer nossas vidas, resguardando os mortos no velório doloroso da memória para um futuro luto. Primeiro, salvar o dia de hoje e quem sabe o de amanhã! Os que se foram têm a eternidade pela frente. Podem esperar! Lembro-me de mamãe, que não verteu uma lágrima sequer pela morte de meu pai quando a guerra terminou. E verteu muitas lágrimas por ele no ano seguinte, quando os cadáveres onipresentes nas ruas e nas ruínas desapareceram, a vida voltou a girar em torno de seu eixo e a Terra tornou a ser o lar dos vivos. Há hora para tudo.

"Alguns meses após a rendição dos nazistas, ainda em plena carência de tudo, convidamos o tio médico para nos visitar, a fim de lhe agradecer por nos salvar. Com ele foram também os demais sobreviventes da família. Servimos-lhes musse de castanha, iguaria muito apreciada antes da guerra. Os ingredientes de agora, porém, tudo *ersatz*: batata-doce em vez de castanha, uma gororoba de gosto remotamente parecido com chocolate para a cobertura, e o voluptuoso chantili ficaria por conta da fantasia. Reunião dos restos de uma família que outrora mal caberia em um espaçoso salão de festas, agora reduzida a meia dúzia de náufragos refugiados numa ilha de fantasia, a fantasia inacreditável de estarmos vivos e podermos contar o que passamos como anedota, e não mais na boca do lobo, prestes a nos engolir. Narrávamos, gulosos e liberados, as histórias fantasmagóricas de nossa sobrevivência, o médico relatando, inclusive, seu encontro com o espanhol, e nós, o consequente milagre de como escapamos da cruz de flecha na rua Sziget. O tio arrematou parafraseando sua última conversa com o espanhol: 'orgia de vampiros em conto de fadas'. E nós, vivos, éramos o inacreditável conto de fadas. A orgia ficara para trás, vencida, esmagada.

"Uma prima distante arfou: 'Depois de tudo isso, já pensou morrermos de apendicite ou de um cancerzinho ordinário qualquer? Ridículo. Acho que esgotamos nosso repertório de mortes. Viveremos para sempre'.

"'Isso eu não sei', concluiu o médico. 'Mas pelo menos merecemos viver para sempre.'

"Ele abriu a garrafa de rum que havia trazido, certamente escambo com um paciente sem dinheiro (mais um), e brindamos à inacreditável narrativa de estarmos lá juntos, inteiros. 'Le haim'. À vida. 'Le haim', brindamos todos, e procuramos sorrir, mas alcançamos apenas uma sombra de sorriso com tantos entes queridos a prantear.

"'Mesmo assim', observou mamãe, sempre desafiadora, 'lá onde estiverem, nossos mártires sorriem à vontade por nós. Vencemos! E eles também.' Dito isso, ela aposentou para sempre sua cartola e os respectivos coelhos.

"Houve um longo silêncio de introspecção, cada um procurando resgatar sobras de suas vidas já quase esquecidas, que haviam sido abandonadas, órfãs, inúteis, quando o instinto de sobrevivência passara a prevalecer sobre todas as demais faculdades. Abandonamos razão, juízo, fé, moral, as próprias raízes e tradições, e passamos a viver como bichos peçonhentos aguardando a pesada bota do ódio nos esmagar. Contávamos apenas com o instinto, aquele mesmo que, na aurora da existência sobre a Terra, nos salvara dos mamutes e dos tigres-dentes-de-sabre. Tensionado ao máximo, prestes a estilhaçar, ele voltava agora, aliviado, a suas origens arcaicas, liberto de sua imensa responsabilidade. As demais faculdades flexionavam seus membros atrofiados pela longa hibernação para retomar o protagonismo em nossa vida.

"Então alguém do grupo disse, de modo quase inaudível primeiro, e depois acompanhado pelos demais, em coro assertivo: 'Por que esta noite é diferente de outras noites...'.

"O médico, acordando de sua catatonia pós-traumática, interrompeu: 'Se daqui a quatro milênios a vida humana persistir em algum canto do universo, esta mesma prece será ouvida por nossos descendentes, lembrando esta noite icônica. Como Moisés e sua tribo, acabamos de atravessar o deserto, os poucos que sobramos. Acreditem, assim como Moisés, nós somos a substância viva do sagrado, com páginas especiais reservadas a nós no Talmude. E, nesse sentido, sim, viveremos para sempre'.

"Ninguém riu, ninguém caçoou da hipérbole, imbuídos que estávamos em percorrer novamente a escala evolutiva, dos mamutes ao século XX, em questão de minutos."

Quem sorri são os Mosqueteiros, a duras penas contendo lágrimas teimosas.

Até aqui me saí bem, avalio, otimista. Agora vamos ao lado tenebroso da história.

4

— Enquanto na Hungria o nazismo dizimava minha família, na Alemanha o pai de Ingrid, Franz Stangl, apresentava-se para sua nova missão de comandante do campo de concentração de Treblinka, às oito horas em ponto. Ia com um uniforme todo branco, cuja alvura destoava do universo do campo besuntado de cinza. O tecido alvo, os botões prateados e as insígnias douradas refletiam os raios de sol, parodiando o brilho visual de um cavaleiro medieval em plena armadura. Ia com a fama de ter liderado um dos primeiros *einsatzkommandos* (ou forças-tarefa) com a missão de oferecer "tratamento especial" aos incapazes para a vida: aleijados, mentecaptos, esquizofrênicos e outros que, sob circunstâncias antigas, pesavam sem solução nos bolsos dos cidadãos e do Estado. Na nova Alemanha não havia lugar para sentimentalismos mesquinhos.

"É verdade que entre esses 'incapazes' havia também casos embaraçosos, como os de leitores compulsivos de livros proibidos, de Thomas Mann a Stefan Zweig, e admiradores de pintores comprovadamente decadentes como Kandinsky, e adeptos da arte que antigamente se chamava de vanguarda e que hoje faz parte do lixo da *Entartete Kunst*, da arte desarticulada. 'E daí', perguntava-se o comandante, desafiador. 'Quem sou eu para questionar assuntos de arte e de literatura? Meu dever é seguir ordens. O Führer já provou sobejamente que entende de tudo, e nós lhe devemos *kadavergehorsamkeit*, obediência de cadáver. Ponto-final.'

"Curiosamente, a guarnição e os condenados apelidavam os campos de concentração simplesmente de 'campos', sem outra identificação. Os condenados o faziam por uma questão de horror ao nome completo do local. Entre os soldados imperava o pudor, o mesmo que censura assuntos relacionados a sexo e ao processo digestivo em conversas civilizadas. 'Campo', assim mesmo, nu, sem qualificativos, é uma alusão suficientemente neutra e inofensiva ao que acontecia atrás do arame farpado. Aliás, os eufemismos imperavam na nova Alemanha. 'Tratamento especial' para liquidação física; 'destacamento especial' para a turma do genocídio (vade-retro: a designação correta é 'limpeza étnica'). O próprio Exército se chamava Wermacht, significando poder de defesa, mas de defesa não tinha mais nada. Atacava em todas as frentes da guerra.

"A capacidade de pensar por si mesmo, inclusive no que dizia respeito aos disparates do regime (veja só a ousadia), dava ao comandante uma espécie de bem-estar, uma paz interior. Não, senhor, ele não era um mero cumpridor de ordens, não era um simples 'cadáver obediente'. Sabia até mesmo criticar, ou melhor, rir das ordens vindas de cima. Cumpria-as, afinal ordens existem para serem cumpridas, mas sabia rir dos disparates. Além disso, havia outro motivo. Chafurdando na morte todos os dias e o dia todo, ele sabia manter (graças a Deus) o tênue equilíbrio entre o fardo de ser um bom e fiel alemão e dispor de senso crítico comprovadamente vivo e atuante. Quanto ao extermínio dos judeus (perdão, 'tratamento especial'), admitia: 'Confesso que nunca gostei muito dos judeus. Além disso, sou um mero soldado; o que entendo eu de ciências raciais? O Führer manda fazer, e nós obedecemos'.

"Havia alguns subordinados, esses sim psicopatas alucinados que descartavam a normalidade do dia a dia com seus altos e baixos, seus certos e errados (muitas vezes, admito, frustrantes), e sucumbiam, gulosos e delirantes, ao feitiço do poder e à volúpia de matar. Para o comandante, tais subordinados eram úteis naqueles tempos especiais, mas depois, quando todos os indesejáveis tivessem sido eliminados (perdão, marginalizados), chegaria a vez deles. O Führer saberia o que fazer.

"Em conclusão, o comandante considerava seu ofício desagradável, nauseante até, ou *dégoutant*, como diriam os franceses em sua língua precisa e elegante, que ele soubera apreciar em sua estadia enquanto integrado às forças de ocupação do país, mas definitivamente não era nenhum psicopata.

"Os oficiais aguardavam-no na entrada do campo. O novo comandante logo perguntou, a fim de ganhar tempo: 'Algum problema especial e urgente que deva ser resolvido?'. Um tenente adiantou-se e, depois da continência de praxe, comunicou-lhe: 'Sim, senhor comandante, nas valas comuns. Esses judeus, covardes e obedientes enquanto vivos, rebelam-se obstinadamente após a morte'. O comandante notou que nenhum dos oficiais presentes se surpreendeu com a afirmativa um tanto surreal. Na verdade, nem ele mesmo havia estranhado e já esperava algo similar, com base em suas experiências de 'ação afirmativa' (eis um belo eufemismo) empreendida com deficientes físicos e mentais.

"Prosseguiram em marcha até o perímetro do campo junto ao arame farpado eletrificado, onde, num promontório de terra batida selando uma vala lotada de vítimas (aliás, despojos de indesejáveis), o cortejo de oficiais parou. A terra se agitava, se abria, e, das fendas abertas, corpos irrompiam, arrastavam-se como zumbis ensandecidos e rolavam na nova vala vizinha, recém-escavada e ainda desocupada.

"'Senhor comandante, parece o Juízo Final com o despertar dos mortos aguardando uma sentença que parece não os agradar', comentou o tenente, disposto a rir se o novo comandante também achasse graça. Não achou. Em vez disso, assumiu um ar catedrático e ministrou uma aula para seus subordinados: 'Apertar o gatilho e virar a manivela do gás é o de menos', declarou. 'Dispor das sobras é a questão. Os cadáveres acumulam gases e gorduras em efervescência. Os detritos incham, empurram as camadas de corpos mais acima, que afloram da terra, e eis que surge esta cena deplorável. Um processo de decantação ou de flotação antes do aterro resolve a situação.' Com movimentos lentos e deliberados, o comandante subiu o montículo, encostou sua bota num corpo naufragado na borda da vala e empurrou-o de volta no abismo. Aguardou até escutar o barulho seco da queda, desceu do aterro e mandou polir as botas.

"O Partido Nacional-Socialista era poderoso. Tão poderoso que passava veredito até mesmo para os mortos.

"O comandante aguardou alguns minutos, dando tempo para os novos subordinados ventilarem suas dúvidas, e, como não houve nenhuma pergunta, iniciou a parte mais melindrosa de sua preleção.

"'Senhores, o Reichsführer Himmler me concedeu a honra de dirigir este campo, por achar que não estamos produzindo o que de nós se espera. Estamos precisamente vinte e sete por cento abaixo de nossa cota de presos refugados. Precisamos aprimorar a eficiência e eliminar os gargalos que empacam a produção. Minha expectativa é a de superar, no curto prazo, cem por cento do planejado pela flotação dos detritos do lixo humano. Planejo um turno a mais, à noite, nas câmaras de gás e também nos crematórios. Sei que isso exigirá um esforço adicional, mas lembrem-se: nosso sacrifício será por pouco tempo. Em um ano, no máximo dois, este parque industrial será desfeito por falta de matéria-prima para liquidar. *Heil* Hitler, e mãos à obra.'

"Precisamente às dezoito horas o expediente do comandante terminou e ele voltou para casa. Sabia que sua filha Ingrid o esperava impaciente, e logo mais a luz de seu quarto teria de ser apagada, pois no dia seguinte havia escola. Entrou no quarto da filha com o livro da vez, *As aventuras de Franz e Fritz*. Estavam no capítulo que tratava de uma guerra de bolas de neve. O comandante lia as páginas com antecedência e excluía trechos que poderiam agredir a sensibilidade da menina. Para começar, não se tratava de guerra. O predomínio da raça germânica iria pôr fim às guerras. A de agora seria a última e definitiva, a terminar com todas as outras vindouras. Bastaria ele carregar o fardo da faxina racial (eis outro eufemismo elegante). Ingrid iria viver em um mundo germanizado e veria o lixo humano apenas no zoológico, cuidadosamente isolado, feito o vírus da varíola, para não voltar a infectar a humanidade. Ingrid escutava a história com enlevo e rezava para que o inverno voltasse e ela também pudesse brincar de bola de neve.

"Dever paterno cumprido, o comandante ia desligar a luz, mas pensou melhor. Até então fora um bom pai, atencioso, carinhoso. Mas não bastava. Devia ser mais que isso. Um pai extremado, para expiar seu trabalho no campo. Afinal, não podia ser monstro lá e um modelo de carinho e amor aqui, pensou, aliviado. Isso não existe. Psicopata é psicopata em todas as circunstâncias. Não existe psicopata seletivo. Ou será que existe? Passou por sua cabeça o filme *O médico e o monstro*, ao qual ele assistira. Seria possível? E voltou novamente o pensamento nefasto, obsessivo. Ser um monstro lá e um modelo de amor e de carinho em casa. 'Meu Deus, me ajude, só estou cumprindo meu dever, por favor, leve isso em conta.'

"Passou a acariciar a cabeça loira da filha com ainda mais carinho e novamente esboçou um gesto para apagar a luz. Mas não completou o gesto e passou a cantarolar uma canção de ninar bem baixinho, com voz monótona, para ajudar a filhinha a achar o caminho do sono. Ela já estava meio adormecida, com o esboço de um sorriso lhe iluminando o rosto. 'Será que ela está sonhando?', perguntou-se o comandante. 'Será que ela sente a carícia? Seu sonho será mais profundo, mais doce, mais tranquilo, com a minha mão em sua testa?' E sentia novamente o cheiro pútrido daquele fio de esgoto que vez ou outra percorria seus neurônios, apesar de soterrado por toneladas de inocência presumida.

"Examinou-se por dentro, com um olhar que ele julgava inclemente. Sentia algum prazer, alguma satisfação no trabalho do campo? 'Seja sincero', admoestou-se. Não, definitivamente não. A não ser... a não ser aquela vez na chegada do trem, quando jogou um bebê chorão no ar e deixou-o cair na ponta da baioneta. Aquilo havia mesmo acontecido? Os galões de schnapps que entornava todos os dias anestesiavam os sentidos e tranquilizavam a consciência. Mas não, 'consciência' era apenas um fiapo de intuição abafado no nascedouro pelo imperativo da 'obediência', que reinava inconteste no Terceiro Reich. Caso houvesse acontecido, também não seria por prazer. Ele tinha de instalar disciplina e ordem naquela chusma de subgente rumando para as câmaras de gás. E funcionava. As mães seguravam seus filhos com mais rigor, tapavam suas bocas, apavoradas, andavam resignadas, obedientes.

"Para ele, o bom soldado às vezes era obrigado a tomar iniciativas inusitadas. No futuro, ordenaria que um subordinado fizesse o serviço porco. Afinal, para que serviam aqueles camponeses embrutecidos, seus subordinados? Congratulou-se orgulhoso: ele havia implantado eficiência e disciplina no 'campo'. Recolhera os cadáveres espalhados, plantara flores na estação do trem e amenizara a brutalidade na rampa de acesso às câmaras de gás. Humanizara o genocídio.

"E, acima de tudo, simplesmente obedecia a ordens superiores respaldadas em leis promulgadas por um governo eleito legitimamente pelo povo alemão.

"Finalmente apagou a luz do quarto da filha e, na ponta dos pés, dirigiu-se ao quarto de casal. Beijou na testa sua esposa adormecida e logo adormeceu também, com a alma em paz."

5

— A guerra não termina sincronizada, ao mesmo tempo para todos. As armas haviam se calado, mas a fome continuava, e, como criança não tem noção do perigo da morte, o ronco da barriga predominava. Em Budapeste, devagar, excruciantemente devagar, o feijão e a lentilha seca ganharam a companhia de legumes rigorosamente racionados e que comíamos com casca e tudo. Já em 1946, toda manhã vovó ainda me perguntava na hora do café da manhã: "Pão com margarina ou com geleia?". Um dia, à crista de um vagalhão de ousadia, respondi: "Margarina *com* geleia". Motim! Revolução! A ousadia do pirralho não tem limites. A família reunida esbravejou, mas, no fim, entre resmungos e protestos, ganhei meu café da manhã com margarina *e* geleia. Fim da guerra!

"Ficamos na Hungria por mais quatro anos, esperançosos de que a situação melhoraria. Mas só piorava. O Partido Comunista assumiu o poder e, com o apoio do Exército Vermelho, que, uma vez empoleirado, nunca mais deixou a Hungria, podava folha por folha, galho por galho das liberdades cívicas, reduzindo o país à condição de vassalo da todo-poderosa União Soviética.

"Em 1949, fugimos minha mãe e eu da Hungria e chegamos a Áustria, indigentes. O Comitê de Refugiados designou-nos um quarto no porão de um hotel espelunca e lá nos depositou... e esqueceu. Minha mãe começou a trabalhar fora, e eu estava sem parentes, sem amigos, sem idioma (não falava alemão), sem livros, sem escola, sem dinheiro. Ao lado de nosso quarto, no recinto vizinho, uma caldeira enviava golfadas de vapor, e eu dialogava com o chiado de água quente percorrendo as tubulações e contemplava as pernas dos transeuntes através da janela basculante ao nível da rua. Fantasiava com o resto de seus corpos invisíveis. Monstros? Lobisomens?

"De repente, delirei, um daqueles pares de pernas dobrou os joelhos, arrancou a janela das dobradiças e pulou à minha frente. Caninos espirrando sangue, garras afiadas em busca da minha jugular, boca cavernosa cheirando a carniça e expelindo um grunhido de bicho — em húngaro. Terror virou conto de fadas. Eu o abraçava, beijava suas mãos peludas, estava tudo perdoado. Não havia ogro, não havia monstro que a língua húngara não pudesse redimir. Voltei a escutar maravilhado a sinfonia melíflua da caldeira.

"Tudo somado, é difícil destruir um menino de onze anos. Sempre leitor ávido, decidi escrever um romance em húngaro: *A sétima senda*, relíquia que guardo até hoje e que reli recentemente após setenta anos.

"Não, eu não era, decididamente, um precoce Mozart das letras. O livro faz jus aos meus onze anos e nem um dia a mais. Porém (não custa um toque de ternura ao menino de então), apresenta roteiro sólido e diálogos precisos.

"Mal havia aprendido alemão, obtivemos visto de entrada no Brasil e aqui aportamos em 1952. Solidão, uma nova língua, penúria, tudo de novo. Mas não faz mal, consolava-me, escrevo outro livro. E então veio a decepção. Meu húngaro permaneceu estacionado — e enferrujado — nos onze anos, e eu já tinha treze. O raciocínio evoluíra, mas, sem o meio de expressão que o idioma proporciona, a capacidade de escrever havia regredido. Como o sapato que eu calçava dois anos antes, ela não me servia mais.

"Então — milagre — arranjei um amigo. Quieto, ensimesmado como eu. 'Autista', opinou minha mãe, mas sem solução melhor para aliviar minha solidão. Calados e inseparáveis assistíamos, aboletados num sofá puído, à vida deslizar por nós como se assiste a um filme cativante que nada tem a ver com nossa realidade. Ele não era autista, sofria de esquizofrenia e se matou alguns anos depois.

"Amigos Mosqueteiros, vocês vão pensar que eu também sofria de algum tipo de desordem mental. Amizade com esquizofrênico? Onde já se viu... Mas entendam: não existe mundo sozinho. Para criar um mundo, não basta estar vivo e aguçar os sentidos. É necessário ter pelo menos uma testemunha, alguém que avalize as sensações, as mensagens, a própria existência do universo. Alguém cujos olhos reflitam a mesma realidade que você está vivendo, contemplem o mesmo pôr do sol que você, alguém que sinta a maré alta lamber seus pés por igual. Entendi então o desespero de Robinson Crusoe na ilha deserta e sua alegria ao encontrar o nativo Sexta-feira, um troglodita antropófago que grunhia por falta de palavras, mas que pelo menos podia certificar que de fato o mundo existia e não era apenas uma fantasia, uma miragem na mente febril de um náufrago. Eu era Sexta-feira para meu amigo, e ele era Sexta-feira para mim. Não sorriam, amigos, porque, em matéria de solidão, eu sou diplomado. *Summa cum laude.*

"E agora, vocês, Mosqueteiros, que me perdoem, mas quero prestar uma homenagem a esse filhinho enfermiço da vida, meu primeiro amigo no Brasil. Por um tempo, fomos a guarita, o porto seguro um do outro diante de nossas inadequações. Ele, por patologia, eu, por contingência. Obrigado por ter existido em minha vida!"

Os Mosqueteiros não dizem nada. Estremecidos, procuram absorver minha história distópica, quase inconcebível para eles. Filhos do cotidiano ensolarado, penso com inveja, bem-vindos ao século xx da intolerância, da perseguição, no qual nenhum dia, nenhum minuto, era cotidiano.

E mudo o foco da história.

6

— Para Ingrid, o fim da guerra chegou mais cedo. Aquele vento
pútrido, nauseante, que tanto incomodava e que soprava sempre
vindo da direção do "campo", abruptamente cessou. Podia-se res-
pirar livremente, sem aquele bafo da morte, como os vizinhos o
apelidavam. Ingrid e seus pais fugiram da Alemanha e da prestação de contas que o ex-comandante teria de enfrentar caso per-
manecessem em sua terra natal.

"Foram para a Síria, e lá Ingrid experimentou a mesma solidão
que eu, sem falar árabe ou francês (a língua franca da Síria), e,
então, sem nos conhecermos, nossas vidas começaram a se cruzar
por meio de nossa história similar. O país estava no início de uma
guerra com o futuro Estado judeu. Os árabes receberam de braços
abertos os refugiados do antigo Exército alemão para que treinas-
sem seu próprio Exército, carente de expertise militar.

"Devem ter feito um trabalho deplorável, a julgar pela surra
que os árabes levaram dos judeus. Mesmo assim, o asilo era ra-
zoavelmente seguro, e a prestação de contas no Velho Continente
fora convenientemente afastada, até o dia em que o ministro de
assuntos religiosos, um velho gordo e sebento, pediu audiência
com o ex-comandante. 'Senhor *bimbashi*, respeitosamente, eu
me apaixonei por sua filha Ing... qualquer coisa. Como ela se
chama mesmo?'

"'Ingrid. Ela tem catorze anos...', respondeu o pai.

"'Mais do que na hora de casar. Bom, permita-me esclarecer. Casar mesmo eu não posso, já tenho três mulheres, conforme permitido pelo Alcorão. Mas posso ter concubinas...'

"Ao ex-comandante, parecia que mais um cadáver emergia da vala comum, exigindo seus direitos. Decidiu contemporizar para ganhar tempo. Jogou a bola para escanteio. 'Façamos o seguinte: dentro de três meses ela fará quinze anos. Aí decidimos.'

"'Bom', respondeu o ministro, 'não sei o que isso tem a ver com ela. O trato seria entre nós dois, homens. Cavalheiros. Mas, se for este o seu desejo...'

"O ex-comandante de campo não perdeu tempo. Dirigiu-se à embaixada do Brasil e pediu visto de entrada no país. Chegaram aqui em 1952."

— Portanto, no mesmo ano em que vocês chegaram — Mario acaba de deduzir o óbvio e ainda acrescenta, como que recitando no palco do teatro: — A cena está montada para o início de uma grande paixão cuja protagonista é a solidão. Talvez seja uma tragédia, ainda não sabemos. Romeu e Julieta que se cuidem.

— Que se cuidem mesmo — afirmo. — Na peça havia também sangue derramado entre as famílias dos dois amantes. Thanatos estava presente aprontando das suas. O duplo suicídio destoa do temperamento bonachão de Eros, mas se encaixa muitíssimo bem sob o manto sombrio de Thanatos.

— Pare de recitar, Gabor. Estou curioso, mas a paciência tem seus limites. — Celso faz de conta que não está envolvido com a história, mas seu semblante tenso e a testa descabelada dizem o contrário. — Ademais, como você sabe o que o comandante fazia, sentia e dizia na época? Você não estava presente a não ser talvez na imaginação.

A sombra da dúvida volta a baixar sobre os Mosqueteiros. Para manter minha credibilidade intacta, tenho de responder prontamente e, como um toureiro, matar a dúvida com um só golpe certeiro.

— Sei disso tudo porque li o depoimento de seu lugar-tenente e confidente antes de ele ser executado pelos Aliados após a guerra. Quanto ao *bimbashi*, Ingrid me contou pessoalmente a respeito da paixão do velho seboso.

7

— Curso de Madureza Souza Diniz. Os quatro anos de ginásio completados em apenas um, a partir dos dezessete anos. Era o jeitinho brasileiro de acomodar jovens recém-chegados do exterior que não queriam perder tempo e repetir o ginásio já cursado em seus países de origem.

"Havia de tudo no curso. Italianos falando português com as mãos; espanhóis *hablando* algo em vez de falando algo que, de qualquer modo, ninguém entendia; japoneses que não falavam nada com ninguém (desconfio de que eles nem soubessem onde estavam), e eu, que definitivamente não sabia onde estava.

"Eu só me comunicava com minha mãe, e em húngaro; eu pensava em húngaro, me tornava adolescente em húngaro. Início de uma tragédia anunciada, os primeiros passos da trajetória de um filhinho da mamãe girando em torno da progenitora, como um satélite em torno do Sol.

"À minha frente, um professorzinho baixote, franzino, de coluna torta e voz fanhosa declinava palavras em latim. Sim, naquela época ainda se ensinava latim no ginásio. *Dominus, domine, dominis, dominae*, meu Deus, o que estou fazendo aqui? Ele usava gravata-borboleta com poás azuis, estandarte irremediável da caretice. Sorria, o sorriso azedo dos fanhosos, bigode risco de carvão escondendo os lábios fininhos que eu desconfiava nem existirem.

"Quem seria ele? Pecador expulso de seminário por deitar olhares lúbricos aos calcanhares das freiras, a única parte do corpo que aparecia debaixo das saias pretas que praticamente varriam o chão? Mas apenas olhares, pois aquela voz, aqueles lábios, aquelas posturas seriam incapazes de empreender iniciativas mais concretas. Ele se aliviava pensando excitado nos dois centímetros de carne ossuda que enxergava. Patético. *Dominorum, dominis...*

"Meu companheiro de carteira, um italiano moreno, dizia *che cazzo*, eu dizia o mesmo em húngaro, *lófasz*, o nipônico na minha frente roncava em japonês, e todos amaldiçoavam Júlio César e os demais romanos, cada um em sua língua. Que belo início de carreira em minha nova pátria. Ela me foi presenteada para substituir a antiga, que tinha nos dado um pé no rabo, ou nós tínhamos dado no dela, dependendo do ponto de vista. Os raios de sol penetravam pela janela e pintavam de um amarelo pálido as carteiras e os tacos do chão. Pelo menos um alívio visual diante do cinza profundo que cercava o professor e seu discurso em latim, ou o que ele pensava ser o latim.

"Nesse momento a porta da classe foi aberta e minha vida mudou para sempre. Antes de continuar, porém, cabe aqui um esclarecimento oportuno: Ingrid não entrou pela porta de uma vez como seria de esperar. Ela entrou aos pedaços: primeiro, a vasta cabeleira loiro-trigo em rabo de cavalo. Prontamente, os raios de sol que antes eram desperdiçados na superfície das carteiras se adensaram voluptuosamente em amarelo-incêndio e se derramaram sobre os cabelos de Ingrid numa alegre conflagração. Depois, entraram na classe dois olhos azuis, um lago límpido e profundo no qual eu me afogaria alegremente..."

— Menos, Gabor, menos — a voz de Mario cala minha veia poética. — Deixe seus dons líricos para mais tarde. Preferencialmente sem a nossa presença.

— Ingrid convidava irremediavelmente à poesia — protesto.

— E não é que ela seguiu diretamente para minha carteira de três lugares, onde já estávamos eu e o italiano, e perguntou em alemão se podia sentar ao meu lado, ocupando o terceiro lugar? E como é que ela sabia que eu falava alemão? Dons de pitonisa...

— Deixe a presunção de lado. Você também tem olhos azuis, é loiro e se veste com casualidade europeia. Isso já vale pelo menos uma dúzia de palavras em alemão.

Os Três Mosqueteiros, desconfiados pelo pretensioso "buraco de minhoca" e por "Eros-Thanatos", não deixam por menos. Aguardam, impacientes, cada deslize, cada tropeço de lógica para me pegar no pulo. Decido não assumir o desaforo e continuar a história.

— Pois eu apontei para ela o assento entre o meu e o do italiano. Porém, deixei meu dedo indicador deslizar do assento do meio cada vez mais perto de mim até, finalmente, chegar ao meu colo. Malandragem tropical.

"'Atrevido', ela disse, mas seu amplo sorriso desmentia-a. Ela foi com a minha cara, constatei, eufórico. É agora ou nunca, Gabor, exortei-me. Já está mais do que na hora de iniciar tua vida amorosa. A aula melhorou milagrosamente, e o impessoal *domini dominorum* voltou a ser o autêntico *domini dominorum* com o filtro sublime da presença de Ingrid. Quando a campainha tocou, anunciando o fim do expediente do dia, perguntei-lhe se poderia acompanhá-la no caminho até sua casa.

"'Claro que pode', ela respondeu, e de repente os vários pedaços de Ingrid se unificaram em uma única mulher-maravilha, corpo ainda meio adolescente, que, no futuro, nos cinco segundos seguintes, seria maduro e escultural, fantasiei, e procurei botar silicone nos seios e nas coxas da fantasia.

"Ela morava em Capela do Socorro, antro da colônia alemã, inclusive de nazistas refugiados de guerra. Mas eu não desconfiava de nada. Ou não queria desconfiar. E daí se eu descobrisse que os pais dela eram simpatizantes de Hitler? Eu ia abandonar aquela mulher-maravilha por uma mera suspeita? Mas ela que não venha com arenga nazista para cima de mim que vai escutar poucas e boas, pensei, procurando apaziguar uma pontada de má-fé que me cutucava.

"Capela do Socorro, na época, era muito longe, uma viagem do centro de São Paulo até lá demorava horas, então me contentei em acompanhá-la até o Parque Dom Pedro ii, onde Ingrid pegaria o ônibus. Estávamos passando pela rua General Carneiro, que é uma ladeira, quando começou a chover. Apenas uma garoa, mas, por conta dos paralelepípedos escorregadios, peguei sua mão, nada demais, qualquer cavalheiro faria o mesmo com uma dama. Ah, chuva bendita. Ela vestia um conjunto de algodão estampado que, molhado, realçava sua silhueta. Aleluia, estou no céu, rejubilei. E, como resposta à euforia, uma descarga elétrica atravessou minha coluna, da nuca até o escroto, e lá se estabeleceu, inquieta, buliçosa.

"Eu nunca havia segurado a mão de uma garota por mais que cinco segundos, o suficiente para uma apresentação ou cumprimento. E, quando logo mais a chuva parou, ela continuou a segurar minha mão, e eu a dela, e eu me indagava se deveria apertá-la mais forte ou menos, e sentia a falta de um pai para perguntar a ele o que fazer. Não seria aquilo uma declaração de amor e mesmo de comprometimento mais sério? Ou seria apenas o início de um corriqueiro namoro? Ou nem isso?

"No parque, sentamos num banco, aguardando a condução. Ia falar-lhe de minha primeira impressão sobre ela ao entrar na classe, da cor de seus olhos, que me encantava, ou da emoção que sentira ao segurar sua mão, e, sim, também do professorzinho de latim mesquinho a quem ela outorgara dignidade com sua simples presença, mas Ingrid estava a fim de papo mais direto e sério.

"'Gabor, você é judeu, não é?', ela perguntou. 'Então, diga-me: o que os judeus têm a mais ou a menos que os outros? Nada, você dirá. Quando segurou minha mão na chuva, confesso que isso não me deixou indiferente. Nem a você, eu sei. Gostaria de te conhecer melhor. Mas para isso temos que varrer pela frente todas as hipocrisias, suspeitas, fofocas e qualquer lixo mental e sentimental que poderá envenenar nosso relacionamento. Não faça essa cara de espanto, nada mais natural. Nós, alemães, cometemos o genocídio, e vocês foram as vítimas. Curto e grosso. Você perdeu alguém da sua família?'

"'Apenas meu pai e metade da minha família', respondi, procurando dar o recado, porém sem ser muito dramático.

"'Pavoroso. Nem sei como você pode me encarar. Pois saiba então que eu posso me apaixonar por você ou dar um pontapé no seu rabo se me decepcionar. Mas nem um nem outro será por você ser judeu. Não será por ódio racial nem por penitência da minha origem. Julgue-me pelo que sou, e eu te julgarei pelo que você é. Topa?'

"'Topo', respondi e ajudei-a a subir no ônibus."

8

— Querido Parque Dom Pedro II. Não o de agora, asfaltado, imenso estacionamento e ponto final de inúmeras linhas de ônibus. O de outrora, quando, depois da aula, íamos namorar na minifloresta com riachos de água límpida entrecruzando-se, formando ilhotas, cada uma comportando apenas um e no máximo dois casais. Os salgueiros a suas margens, cujas ramagens exuberantes penteavam as águas, escondiam as patranhas dos mal-intencionados, pois na época sexo era ainda pecado, e seus perpetradores, sujeitos a prisão, para não falar das labaredas do inferno. Lá íamos nós, de mãos dadas, palavras carinhosas adoçando os lábios, inalando o cheiro do desejo um do outro... e mais nada.

"Ocorre que, nas águas prístinas dos riachos, ainda se ocultavam ocasionais nereidas remanescentes de tempos míticos. Às vezes, quando já não podiam mais tolerar as tolices dos mortais, elas emergiam das águas para esfriar o ânimo dos afoitos e encorajar os tímidos. Pois, acreditem ou não, uma dessas criaturas apareceu um dia e postou-se diante de mim, nuazinha em pelo. 'Gabor, veja meus seios túrgidos', ela disse. 'Sinta meu sexo molhado. Nós sofremos de dois milênios de privações, desde que os humanos nos renegaram. Não vai querer que Ingrid também aguarde dois mil anos, né? Pois saiba que ela tem os mesmos atributos, os mesmos desejos que eu, e agora chega deste nhem-nhem-nhem de carícias fraternas e mãozinhas dadas que já deu o que tinha que dar. E, em especial,

pare com essa empulhação de vestir as cuecas de trás para a frente.'
E com isso voltou à sua moradia nas águas do riacho."

Três pares de olhos, os olhos dos Mosqueteiros, se levantam e
me fitam com espanto.

— Que história é essa das cuecas? — indaga Alan.

Constrangido, e aguardando o escárnio merecido dos amigos,
conto parte de minha história que eles ainda não conhecem.

— Vocês sabem que minha mãe era viúva, louca para casar a
fim de pôr um fim a nossa penúria financeira, dar um pai para seu
filhote e um macho para sua feminilidade. Amigos e conhecidos
apresentaram a ela cavalheiros de fino trato elegíveis, solteiros,
viúvos ou separados. Mamãe saía com eles e frequentemente
voltava para casa desiludida e desabafava comigo: 'Estes homens
sem princípios e sem moral só querem uma coisa das mulheres:
cama'. O que ela não sabia é que, sem ter o *role model* do pai para
moderar meu juízo, eu só tinha a perspectiva dela a respeito dos
homens, e sentia que tinha obrigação de ser diferente dos desa-
busados. Respeitar a flor primaveril da feminilidade. Mas, como
direi, ao segurar a mão de Ingrid, ao chegar perto dela, eu sentia
mal-intencionadas protuberâncias se erguendo em minha calça
e forçando as cuecas, o que sem dúvida iria ofender sua delicada
sensibilidade de virgem. A parte de trás das cuecas segurava melhor, como direi, minha masculinidade."

Alan não aguenta mais:

— Ele quer dizer que ficava de pau duro — corrige, explici-
tando e aviltando meus nobres sentimentos.

— Que seja. — No íntimo, peço perdão a Ingrid pela grosseria
do amigo.

— Quer dizer que você ficava assim aparvalhado por causa das
hordas de paus duros perseguindo mamãe, ávidas para empalar a
santa? — Alan não deixa por menos.

É bom ficar quieto, escuto a voz da razão em meu íntimo. Eles,
filhos de famílias sólidas e abastadas, jamais entenderão o papel

62

ridículo e penoso de um órfão deslocado à força de sua pátria, do convívio de sua família, dos amigos, da língua materna, sem um vintém no bolso e com uma mãe com muito amor para dar, mas que, além de mãe, não sabia ser também pai.

— No dia seguinte, endireitei as cuecas e, descendo a General Carneiro, avisei Ingrid: 'Chegando à nossa ilhota, eu pretendo te beijar'. Nada como uma boa nereida para dar um impulso ao desejo envergonhado, desterrado nas cuecas. 'Ninguém nunca me beijou antes. Não na boca', ela respondeu, emburrada, e seus olhos mudaram de cor. Não sei por que eles me lembraram o azul do céu em Guarujá que eu havia visto um dia, depois de uma rápida tempestade com o sol a pino. Logo depois, aparecera o arco-íris. Era lindo e ameaçador e me deixava cheio de expectativas. O que seria de minha relação com Ingrid dali para a frente? Chuva, sol ou um eterno arco-íris? Os olhos de Ingrid irradiavam expectativa e desejo (sol), mas também aflição (chuva). 'Se eu não gostar, você vai me pagar', ela ameaçava. A mim, restava esperar pelo arco-íris.

"A nossa ilhota estava ocupada quando lá chegamos. Um casal de jovens se beijava com vontade, e, pelo jeito, eles não iriam parar tão cedo. Nem nós, mais apaixonados ainda. Compramos, no bar da esquina, Crush e maria-mole, lembram? Sentamos num banco do parque, encolhemos as pernas para evitar o frio do concreto e eu aguardei, resignado, o 'papo cabeça' vindo de Ingrid, igual ao do primeiro dia em que nos encontramos. Ela entrou no assunto sem rodeios, como se nossa ida ao parque fosse apenas para falar sobre isso.

"'Gabor, você sabe o que é ódio? Aquele ódio que tem por ingredientes a humilhação e o desejo de vingança? Pois esse sentimento predominava na Alemanha no fim dos anos 1920, culminando na intolerância ao outro, ao diverso, ao alheio. E quem eram as espécies mais visíveis desses alheios na Alemanha? Os judeus, é claro.'

"Procurei sorrir, a fim de suavizar minha pergunta incômoda: 'Ingrid, por que essa preocupação excessiva com o passado? Aconteceu na geração dos nossos pais. Eles que se virem com seus pecados e virtudes. Vamos tocar nossa vida, que já não é fácil, e esquecer o retrovisor'.

"Ela parecia não me escutar. 'Nada deve ficar silenciado, subentendido entre nós, e tudo deve ser discutido abertamente. O diálogo gera, no máximo, desentendimento. Mas o que é varrido para debaixo do tapete gera suspeita ou mesmo rancor. Trata-se de eventos trágicos ocorridos depois da Primeira Grande Guerra. Os Aliados que venceram impuseram uma paz impiedosa com uma indenização a pagar que era uma extorsão, um castigo, e que encobriu a Alemanha como uma mortalha, vedando os restos mortais de uma nação. Apelidaram o butim de reparação de guerra, mas na verdade tratava-se da vingança dos vencedores, que simplesmente queriam aleijar a Alemanha para sempre. Todos consideravam a dívida impagável. Segundo meus pais, o desemprego, a fome e a mendicância eram o de menos. Pior era a perda da dignidade, do brio de uma nação outrora orgulhosa, com tropas estrangeiras ocupando seu território e pedaços da nação arrancados e anexados a seus vizinhos. Ano após ano pagávamos o butim, e a fome só piorava.'

"Ela continuou sem rodeios: 'Boa parte do país votou nos nazistas nas eleições de 1932, mesmo que muitos deles criticassem a intolerância e os métodos arruaceiros do partido. Porém, deixe para lá, diziam. Chegando ao poder, a dura realidade vai modular a retórica e podar os excessos. Pois deu no que deu. A ideologia deixa as pessoas, mesmo as mais equilibradas, doidas varridas, e basta aceitar a primeira premissa aparentemente inocente de uma ideologia que o resto vem de roldão. Concessão após concessão, rumo à patologia, rumo a Auschwitz e aos demais campos'.

"Eu queria ser generoso: 'Passado. Procuremos superá-lo. O vento levou aquela imundície junto com a noite de São Bartolomeu e a rua Sziget. Vamos deixar a última palavra para o sistema judiciário ou, na pior das hipóteses, para o Juízo Final'.

"Ingrid me contemplou, tensa, com duas rugas salientes na testa, sem entender minhas referências.

"'Você está mentindo. Os mortos têm pressa para não serem esquecidos tão cedo assim. Seu pai tem pressa. O Juízo Final está longe demais. Mas, vá lá, talvez eu mesma seja culpada. É fácil odiar o desconhecido. Alguns poucos de nós somos vítimas do impulso de conhecer melhor quem devemos odiar, quem nossos antepassados odiaram, antes de odiá-los também. E quem sabe você queira conhecer melhor a raça de verdugos que trucidou seu povo. Muito nobre, mas, se for realmente só isso o que nos une, então faremos parte de uma macabra experiência antropológica. E só isso.'

"'Simples, pergunte ao coração', respondo, e pondero se devia ficar ofendido.

"'Tem razão, Gabor. Procure me entender: você se lembra daquela brincadeira da dança das cadeiras? O número de cadeiras é sempre menor que o dos folgazões. Pois todos os alemães se empenharam em uma versão alegórica desse jogo depois da guerra. A música para, e cada um procura se sentar. Alguns têm praticamente cadeira cativa, outros usam a esperteza, e todos eles se acomodam pachorrentos, espreguiçam-se, o passado não lhes diz mais nada. Sobram alguns otários como eu, que não sabem se acomodar, assumem as culpas do passado, o sangue ruim que herdaram. Tenho muito medo. Outro dia, nosso querido professor de latim, que trocando sua voz e postura invertebrada seria um mestre até que razoável, falou sobre a obra *Eneida*, de Virgílio. Eu fui atrás e achei o livro na biblioteca, em português, no lado par, e em latim original, no lado ímpar, e encontrei uma frase memorável que anotei em latim mesmo.' Ela abriu a bolsa e, entre o batom, a caixinha de pó de arroz, um lencinho e a passagem de ônibus, resgatou um papelote dobrado em mil pedaços. 'Isto aqui', disse e leu, '*Exoriare aliquis nostris ex ossibus ultor*'. Eu sorri com ternura ao escutá-la declamar o latim com sotaque austríaco carregado nos erres e imaginei Virgílio desperto no susto de seu eterno descanso, ouvindo seus versos em dialeto ostrogodo. Mas, para apaziguar a alma do poeta falecido, a frase era declamada dois mil anos depois de ele tê-la escrito. Pudera eu dizer o mesmo de minhas escritas daqui a dois mil anos.

"'O que quer dizer?', perguntei, assombrado.

"'Quer dizer que aqui se faz, aqui se paga. Simples assim. Alguém vai ter que pagar a conta do passado. Tenho muito medo.'

"'E seus pais, eles têm alguma dívida moral da época para pagar?', ousei indagar, inquieto.

"Ingrid contemplou meu rosto por alguns segundos, ensimesmada, reflexiva e, talvez, evasiva. Parecia à procura da palavra precisa.

"'Afinal, você quer beijar a mim ou aos meus pais hoje?', perguntou, brejeira.

"Eu não tinha dúvidas, estava louco para beijar Ingrid, portanto enterrei convenientemente sob sete pás de cal minha suspeita sobre os pais dela. E me questiono: não seria minha cegueira moral deliberada equivalente à do povo alemão em relação aos judeus? Quem nunca pecou que jogue a primeira pedra... O resto é pura hipocrisia.

"Talvez para evitar os pensamentos inconvenientes, arrastei Ingrid de volta à ilhota, e, aleluia, o casal que lá estava antes havia partido. Ingrid ainda ofereceu uma tímida resistência. *Muss es sein*? Tem que ser?, ela perguntava em alemão, ansiosa. Admito, eu também estava aflito. E se ela tiver mau hálito? Ou eu? O que fazer com a língua? Retrair na boca ou deixar encontrar a dela? (Eca, que nojo. Dois moluscos se esfregando.) E se os dentes batessem? Mas, àquela altura, as bocas já se aproximavam, não havia mau hálito, e, se houvesse, seria o perfume da intimidade; as línguas se lambiam, os dentes mordiscavam, os lábios sugavam, e o sinal de interrogação em 'Tem que ser?' se endireitou, ficou ereto que nem minha masculinidade recém-descoberta sob a cueca desvirada e se tornou uma exclamação: 'Tem que ser!'. Em instantes eu vi a adolescente tímida, amiga íntima de bonecas de pano, transformar-se em mulher guerreira, exigindo todo o prazer que a vida lhe devia. (Arco-íris.)

"'Gabor, meu amor', ela arfava maliciosamente quando enfim as duas bocas saciadas se afastaram. 'E eu que pensei que meus compatriotas tinham cortado fora seu pintinho, que nunca o sentia antes quando te abraçava. Ele existe e é muito sem-vergonha', finalizou, jubilosa.

"Até a nereida compareceu, modesta, retraída por baixo de seus dois milênios de carência afetiva.

"'Bravo, Gabor, bravo. Não falei para vestir as cuecas do lado direito?'

"Agradeci e ela voltou às águas, mas por pouco tempo. Logo mais as motoniveladoras arrasariam o parque, e não sei mais nada sobre o destino dela."

9

— Sábado era dia de cinema. Preferíamos o Cine Art-Palácio, na avenida São João, com o ambiente escuro onde eu podia beijar e apertar Ingrid à vontade sem ninguém nos incomodar. Lá vimos *Os cavaleiros da Távola Redonda, Os brutos também amam, Matar ou morrer* e dezenas de outros filmes que eu não lembro mais, pois não dá para assistir e beijar ao mesmo tempo.

"Lembro, porém, de *Um fio de esperança*, ah!, se me lembro. O astro, John Wayne (e quem mais?), piloto de avião transatlântico comercial, se vê numa enrascada. O avião apresenta avaria e ele precisa improvisar uma aterrissagem de emergência. De repente, o aparelho mergulha descontrolado por quatrocentos metros. O cinema é um uivo só, todos se encolhem nos assentos, e Ingrid aperta minha mão sobre os seios. Meus dedos descem na blusa apenas dois centímetros, um nadinha comparado com a queda do avião, e se defrontam com os seios nus de Ingrid. Um mergulho no abismo das emoções. Mais duzentos metros de queda (do avião). A plateia berra de pavor, e nós ronronamos de prazer com nossos pífios dois centímetros. E assim, assistindo aos mergulhos abissais do avião e bolinando delicadamente o bico dos seios de Ingrid, eu descobri o sentido íntimo do conceito de relatividade."

— Filho da puta, está gozando da nossa cara! — é a reação unânime dos Mosqueteiros.

E estava mesmo. Eu vivia então no bairro de Higienópolis, enclausurado na minúscula colônia húngara apelidada de "confraria dos paroxítonos". Por uma idiossincrasia da língua húngara, só se pronunciavam as palavras como se fossem paroxítonas, e ninguém entendia para que serviam as demais regras de pronúncia. Aí conheci os Mosqueteiros e eles morriam de rir toda vez que eu caía nas armadilhas da língua portuguesa e tropeçava nas pegadinhas da pronúncia. Delicio-me ao ver suas caras emburradas agora, enquanto conto uma história sensual imune à gramática. É a minha vez de rir deles. Acrescento ainda por conta própria, com um toque de sadismo:

— ... e ela gemia, que delícia!

Lavei a alma.

10

— O destino juntou-nos ou, muito mais que isso, praticamente arremessou-nos um no braço do outro. Dois refugiados, passamos pela mesma experiência de não falar nem entender a língua, ela na Síria e depois no Brasil, eu na Áustria e depois no Brasil. Finalmente juntos, criamos um mundo de fantasia no qual só se falava alemão e nosso namoro se desenrolava em Viena (que os dois conhecíamos bem). Ninguém nos entendia, ninguém participava do nosso jogo de faz de conta — ainda bem, pois qualquer interferência de estranhos portaria consigo o ruído de estática, obscurecendo a clareza de nossos sonhos.

"Percorríamos São Paulo a pé, de bonde e na imaginação, sempre sob a ótica de Viena. Implicávamos com o nome das ruas, e, assim, a Brigadeiro Luis Antonio virou Obersturmbannführer Luis Anton Strasse, em depreciação irônica da solenidade militar pomposa do nazismo. A Conselheiro Torres Homem virou Ecces Geber Turmann Strasse, inserindo o termo iídiche "conselheiro" na tradução alemã do nome da rua. Ingrid parecia divertir-se, com um toque de amargura à custa do passado marcial e da nuvem de culpa sulfurosa que envolvia sua pátria.

"Depois, havia o 'Prater', o parque de diversões de Viena, com sua monumental roda-gigante que na altura máxima se enfiava nas nuvens, onde cada um fazia o que queria e não deveria, longe da vista dos demais frequentadores. Pois na avenida Santo Amaro havia um miniPrater, roda-gigante cópia pigmeia da de Viena. Lá, chegando ao cume da roda, trocamos beijos de língua e minha mão deslizava sob a saia de Ingrid, que afastava as coxas, e nessas horas quem é que pensaria na altura da roda? E, sim, estávamos perfeitamente expostos ao público do parque lá em baixo. Ao descermos, eles aplaudiram maliciosos e nós agradecemos surpresos, com um sorriso tímido, como dois estreantes amadores de um filme de pornografia.

"Não devo esquecer da Faria Lima, a nossa querida Kaerntner Strasse, avenida central de Viena. Assistimos a um filme francês (*Jules e Jim*?), no qual os amantes, em desabalada corrida cronometrada, percorrem os salões do Louvre de uma extremidade à outra e estabelecem um recorde que, pelo que eu saiba, ninguém superou (ou tentou superar) até hoje. Fizemos o mesmo em 'nossa' Kaerntner Strasse, na ilha central da Faria Lima, entre o Clube Pinheiros e o cruzamento com a avenida Rebouças, distância que corresponde aproximadamente à da Stephansdom até a Ringstrasse em Viena, estabelecendo nosso próprio recorde. Alguém para desafiá-lo? E corríamos não mais a sério, não arriscando a vida como na guerra, mas apenas sob o risco de merecer o olhar adverso de algum guarda careta ou nem isso. Éramos livres, apaixonados e inconsequentes. Pela primeira vez.

"A língua alemã era o fio condutor de nossa paixão. A icônica declaração de amor *Ich Liebe dich* em qualquer outra língua soaria para nós oca, postiça, '*ersatz*'. Até hoje a verdadeira paixão, para mim, só existe em alemão, e sinto, entre as frestas das palavras da declaração, emanarem a lembrança do perfume dos cabelos e o gosto dos lábios de Ingrid."

Sinto que estou sendo inconveniente, os Mosqueteiros devem estranhar, mas, ao remover o dique do passado, a memória irrompe em golfadas incontroláveis e eu não sei mais como parar.

— ... e as conversas, então. As meias-palavras, os subentendidos, os *innuendos*, a pulsão do sexo subvertendo frases inocentes.

Lembro-me de uma conversa em que Ingrid chamou minha atenção para uma lacuna imperdoável em nossas vidas:

"'Sabe, nós pulamos levianamente uma fase importante da infância: a das brincadeiras. O esconde-esconde, o pega-pega. A guerra primeiro, depois a saída de nossos respectivos países e mais tarde a falta de palavras para juntar a frase 'vamos brincar?', que seria dirigida às crianças dos países em que aportamos, deixou uma lacuna em nossa formação."

"'Pois é', eu disse, surpreso. 'Não se pode pular parte da infância assim impunemente. Um dia haveremos de pagar o preço. Vai ver, aos oitenta anos, vamos finalmente brincar de esconde-esconde para repor a falta.'

"Ingrid piscou, muito sem-vergonha. 'E aquele que me achar vai ter que me *comer*. Espero que seja você. Se não for ou se você não quiser, haverá outros candidatos.' *Domage*, ela disse bem assim, despudorada, em francês, com um sotaque que eu imaginei árabe.

"Ingrid deixou seu recado: chega de brincadeiras, vamos logo aos finalmentes. E eu de repente sentia vontade de ter já oitenta anos."

Alan interrompe, irritado.

— Velho tarado. Mais para extrema-unção do que para idílios românticos. Caia na real.

Os Mosqueteiros que me perdoem, mas não consigo cair na real. As lembranças correm soltas com a velocidade e a força de sessenta anos de represamento.

— Só mais uma, prometo: aquela vez que as palavras deitaram sombras tenebrosas em nosso relacionamento. Ela me enfrentou com semblante de desafio.

"'Vocês judeus falam de quase seis mil anos de resiliência, de continuidade orgulhosa e teimosa de vossa raça e religião. Mas o antissemitismo nasceu junto com os judeus. Se duração for prova de excelência, os dois estão no mesmo patamar. Responda!'

"A serpente saiu do ovo, pensei, sombriamente. Ou eu a mato no nascedouro, ou ela nos engole.

"'O judeu foi o único povo que não se deixou assimilar, que se recusou a dobrar os joelhos diante de sátrapas, faraós, e manteve sua identidade a despeito de tudo e de todos. O Deus Único era um desaforo hostil, provocativo aos costumes de então. O antissemitismo nasceu desse desaforo. Em compensação, deixou como legado as três religiões monoteístas do mundo ocidental. Então, escolha: se quiser ficar com os Dez Mandamentos, tem de aceitar também a insolência judia. Ônus com bônus. Se preferir o antissemitismo, precisa também descartar os Dez Mandamentos. Como ficamos?'

"Ingrid sorriu amorosamente.

"'Depende. Se os Mandamentos vierem com você de brinde, eu os aceito', disse e lascou um beijo em minha testa, logo aqui." E apontei um ponto qualquer para os Mosqueteiros admirarem.

— Fechado — respondi. O nosso amor será o décimo primeiro mandamento.

"As sombras tenebrosas foram desfeitas, e o sol voltou a brilhar."

11

— Os oitenta anos chegaram mais rápido do que eu pensava. Ingrid perdeu a virgindade devido a um incidente pouco auspicioso. Um guarda civil com espírito empreendedor fazia sua ronda no parque, com atenção especial direcionada a casais de namorados. Ele transformava o impulso sexual dos outros em fonte de renda própria. Qualquer excesso, como um abraço mais íntimo ou um beijo, e ele voava na direção dos infratores como abutre sobre carne podre. Na véspera de um feriado de Corpus Christi, ele nos pegou com a mão literalmente na massa.

"'Documentos!'

"Naquela época de hipocrisia descarada, não existia motel nem mesmo drive-in. Até os dezoito anos qualquer beijo na boca era considerado imoral e ofensivo aos bons costumes, e seus perpetradores ficavam sujeitos a penas legais.

"'E tem mais', ameaçou o policialzinho. 'Amanhã, sendo feriado, não haverá expediente, e vocês ficarão presos até o dia seguinte. Avisar em casa, nem pensar. Presos não têm direito ao telefone.'

"Com esse retrato do fim do mundo, ele aguardou nossa reação, que foi de pânico, é óbvio. Mas ele apenas aguardava, aguardava e continuava aguardando. E cadê as algemas ou quem sabe o cassetete para nos tocar até a delegacia? Aí tem coisa, pensei, e pela primeira vez apelei para o jeitinho brasileiro. Tirei do bolso cem cruzeiros, a moeda de então, que eu guardava para o cinema e um lanche depois.

"'Senhor autoridade', murmurei, massageando seu ego, 'é para um cafezinho.'

"Operou milagres.

"'Jovens, o parque é perigoso. Vocês podem se defrontar com um policial menos compreensivo que eu. Vão para um hotel...' E embolsou o dinheiro.

"'Mas, doutor', extrapolei (e a essa altura ele provavelmente já se sentia promovido a juiz da Suprema Corte), 'somos menores de idade. Os hotéis pedem documentos.'

"Ele pronunciou então a frase que selou nosso destino como casal: 'E daí? De meio-dia a três da tarde não há batida policial nos hotéis. Todo mundo, em especial os hotéis, sabe disso'.

"Para quê? Ingrid passou a exigir seus direitos de mulher emancipada, coisa que não era.

"'Chega deste nheco-nheco com meus peitinhos no cinema, e, quanto à tua língua, já conheço cada sulco, cada papila, cada sapinho de tanto ela fuçar na minha boca. Exijo a coisa toda e pronto. Já tenho dezessete anos e meio', disse, enfatizando o *meio*, e era quase verdade.

"Escolhi uma espelunca na rua Nestor Pestana, perto do Teatro Cultura Artística, como se quisesse redimir o miserê do hotel por sua nobre vizinhança. Está bom, confesso, faltou também grana. Subornar o guarda já havia me custado uma fortuna, e mais o hotel, eu não tinha bolso para tanto. O recepcionista nos inspecionou de alto a baixo, olhou conspicuamente para o relógio, não perguntou nada e apenas nos avisou: 'Somente até as três'.

"O quarto era até que bom, lençóis limpos, com aquele cheiro de limpeza barata deixado por águas sanitárias e alvejantes que nós jamais usaríamos em casa, mas que, bem ou mal, executam seu papel. Bom, para resumir, até as duas horas fizemos tudo o que tínhamos que fazer..."

Os Três Mosqueteiros pulam por cima de mim, do pobre do D'Artagnan:

— Puta merda. Quer resumir agora que a história está ficando interessante?

— Dá detalhes, porra. O que ela falou? O que ela fez...

— E a nereida? Ela pelo menos compareceu? Eu nunca fiz amor com mulher com dois milênios de atraso sexual...

Procuro me defender:

— Não estou aqui para contar pornografia.

Depois, cedo à memória do lúbrico e, fingindo falso constrangimento, acrescento, para atiçar a fantasia dos Mosqueteiros:

— No final do ato, ela apontou para meu pinto circuncidado. "Você mentiu. Lembra do nosso primeiro encontro? Perguntei se judeu tinha algo a mais ou a menos que os não judeus. Você negou. Pois aqui falta um pedaço", finalizou, e riu maliciosamente.

"Na saída do hotel, eu perguntei-lhe, apreensivo: 'Você não se arrependeu? Voltaria atrás? Agora você não é mais criança, eu te fiz mulher', acrescentei, um tanto solene.

"Ela soltou uma gargalhada. 'Você fala como se o hímen cindido representasse a mortalha da infância trucidada. Com essa mesma grandiloquência. Pare com isso! Só me arrependo de não ter feito antes. E outra coisa: agora também para mim falta um pedacinho. Estamos quites.'

"Enfim, assim era Ingrid. Direta, contundente, sem rodeios. Verdadeira."

12

— ... e tantas coisas mais. Não quero, porém, abusar de vossa paciência nem de minhas saudades há tempos reprimidas e desterradas.

Assim mesmo, a enxurrada do passado verte pequenas joias, lembranças frágeis, bricabraques delicados de um tempo pré-histórico de minha vida.

— Ela me ensinava francês, que aprendera na Síria... As canções, como eram mesmo? *"En passant par la Lorraine avec mes sabots."* Meu primeiro livro em francês, *Les derniers jours de Pompéi.* A primeira metade, até a erupção do vulcão, lemos juntos. Depois, não precisei mais de sua ajuda... Agora, chega! Prometo não divagar mais. Falta pouco.

Sinto-me encorajado pelo chá esfriando nas xícaras, o gelo derretendo nos copos, deixando o uísque aguado, e os canapés desmanchando na travessa. Minha história ainda tem ouvintes atentos, reflito. O ouvido ainda ganha do paladar.

— A solidão dos recém-chegados ao Brasil incomodava. Éramos só nós dois, e não se podia trepar o tempo todo. Às vezes faltava a vida social.

Alan, jubiloso, interrompe meu relato com malícia:

— Só os dois? E a sereia, onde entra?

— Nereida, seu ignorante — retruco, e continuo a resgatar meu passado. — Mas Ingrid morava em bairro alemão, o que facilitava para que se enturmasse. Não demorou a me estender um convite:

"Gabor, minha vizinha, Ingeborg, vai dar uma festa de aniversário. Dezesseis aninhos", acrescentou, com o diminuto depreciativo próprio de nossa idade. (Incrível o que a diferença de um ano pode fazer em termos de autoestima. Com dezessete anos, já nos consideramos adultos. Ela, com dezesseis, mal saíra das fraldas.) "Você está convidado."

Irrompe um rebuliço entre os Mosqueteiros. Eles falam todos juntos, descontrolados.

— Safado. Ingeborg? Esta deve ser de uma lenda germânica. Agora ele vai comer a Ingeborg também.

— Enquanto nós comíamos putas e ocasionais domésticas, esse filho da mãe se regalava com nereidas, ninfas, náiades e sereias. Ele comia a mitologia inteira.

Sei que não é verdade. Na época, cavalheiros mantinham sob sete chaves suas relações íntimas com moçoilas de fino trato, suas namoradas. Mas como faz bem para minha autoestima!

— Baixem a bola, amigos — exorto-os, com falsa modéstia. — Apenas uma pobrezinha de uma nereida perdida no rio Tamanduateí, falando português caipira. E sem sexo há dois mil anos. Agora, com a destruição do parque, onde será que ela mora? Provavelmente num ramal secundário do sistema de esgotos da cidade. Nada para me invejar.

"Enfim, chegamos ao local da festa e não havia ninguém. A casa escura parecia deserta, desabitada havia muito tempo. Ingrid fingiu surpresa e exclamou: 'Devo ter errado de horário. Mas não faz mal, eu moro nesta outra casa', e apontou para um sobrado modernoso com colunas estreitas na entrada. 'Meus pais adorariam te conhecer.'"

Agora sim os Mosqueteiros surtam de vez.

— Eu sabia, o D'Artagnan está nos contando uma história de terror...

— Refilmagem de *Psicose*, de Hitchcock. Já, já, vamos ter a cena do chuveiro...

— O próprio filme do Glauber Rocha, *O dragão da maldade contra o Santo Guerreiro*. Resta ver quem é quem.

— Entramos na cozinha bem iluminada, onde os pais de Ingrid já nos esperavam, fingindo surpresa. Não, não havia teias de aranha, nem caldeirão de bruxa, nem mesmo criancinhas esfoladas penduradas em cabides. Na mesa, quatro lugares postos e um delicioso sachertorte, um bolo de chocolate inventado na Áustria, meu favorito (o que Ingrid já sabia, e deve ter contado para a mãe). Uma pacata família alemã do bem, pensei.

"A mãe, porém, me deixou arrepiado. Sorridente, porém de modo forçado, estendeu-me a mão, e eu apanhei e apertei um molusco inerte, aparentemente sem musculatura. E ela deixou-a ficar ali um bom tempo, sem reclamá-la de volta. Enquanto falava, seus pequenos olhos rodavam na órbita, sinalizando falta de sintonia entre o que dizia e pensava. E nenhum dos dois prometia grande coisa.

"Em pouco tempo ela perguntou de onde eu era, sobre minha fuga do comunismo e como eu eludira as 'perseguições'. Deixou a palavra no ar, sem explicitar a que perseguições se referia. Como se eu tivesse eludido algum germe ou parasita que invadira a Terra. Eu também não queria alongar uma conversa delicada com alemães e causar eventual incômodo para a filha. 'Tive sorte', respondi, sucintamente.

"Mais tarde, quando já sabia da verdadeira identidade do marido, imaginei-a vertendo um olhar de esguelha depreciativo para ele, como quem diz: 'Incompetente. Está vendo? Sobrou um...'. Mas, na hora, apaixonado como estava, não percebi nada. E talvez não houvesse nada para perceber.

"Quanto ao pai de Ingrid, o ex-comandante de campo, ele me estendeu uma mão forte, palma volumosa, dedos curtos e grossos de trabalhador braçal, e apertou minha mão vigorosamente."

Alan não se contém:

— E a pelugem grossa de primata cobrindo o braço e as garras no lugar de unhas...

— Antes fosse, caro Alan, assim poderíamos alimentar nossa ingênua crença de que na lista de Schindler nós éramos exclusivamente o recheio da lista, e jamais seus perpetradores, e que os crimes foram cometidos por extraterrestres que nada têm a ver conosco. Nós somos civilizados, temos unhas bem aparadas, mamãe nos ensinou modos, e seríamos incapazes de cometer tamanha barbaridade. Mas não, os monstros são um de nós, o instinto da fera está gravado em nosso DNA, ele dormita encapsulado em alguma célula nossa e depende apenas das circunstâncias para acordar e irromper. Portanto, cuidado com as unhas e a pelugem das mãos. Dia destes podemos acordar e ter um sobressalto.

"Ele me cumprimentou gentilmente, com um ligeiro sorriso condescendente, mas que não chegou a ser agressivo. Disse 'Grüß Gott',* em alemão, a pronúncia carregada pelo dialeto do interior primitivo da Áustria, como se fosse, no Brasil, o sotaque caipira. De resto, meu Deus, na mesa, o mesmo jornal que eu lia em casa, e ele segurava a xícara do café delicadamente com o polegar e o indicador, o anular e o mindinho ligeiramente afastados, como mamãe havia nos ensinados paciente e laboriosamente. Tudo igual, tenebrosamente igual ao nosso comportamento no dia a dia. Nada do lobisomem, nada do bicho-papão. Apenas um de nós.

"Há mais um detalhe: após as apresentações e a troca de algumas frases amáveis comigo, ele se absteve da conversa, abriu o jornal e, imerso na leitura, escondeu o rosto. Na época, atribuí isso à falta de decoro, própria de uma pessoa rústica, conforme seu linguajar caipira. Mas não era somente isso.

"Minha opinião, hoje, é a de que ele, um humilde funcionário público da polícia austríaca, havia se casado com uma moça muito acima de seu nível social. O alemão impecável que ela falava e seu comportamento formalmente refinado — se bem que de aparência insincera — avalizavam essa opinião. Depois ela provavel-

---

* Em tradução livre, "Saudações a Deus". (N. E.)

mente incentivara-o (o termo certo talvez seja coagira-o) a crescer na vida e dar à família o status e as correspondentes benesses pecuniárias que ela almejava. Mas não devo adiantar as coisas. A própria Ingrid contou-me mais tarde o que ocorrera. Acho que, ofuscada pela ascensão meteórica do marido nas escalas social e financeira, ela nem sabia (ou, mais apropriadamente, não queria saber) do que acontecia nos 'campos'. E com razão. Na nova Alemanha, o papel da mulher fora bem definido pelo Führer: 3 Ks. *Kinder, Küche, Kirche.* O resto era papel do macho. Salvo-conduto para a inocência."

---

* Em tradução livre, "filhos, cozinha, igreja". (N. E.)

13

— Depois, seguimos rumo à festa de aniversário da vizinha. Ingeborg foi nos receber, observou-me atentamente, apresentou-me aos demais convidados que nos cercavam em alegre convívio. Perguntavam-me de onde eu era, o que fazia e... meu Deus, por que aquela sensação de que eu, e não a aniversariante, era o centro das atenções, a grande atração da festa? As meninas se aconchegavam, tocavam minhas mãos, meus braços, e me convidavam para dançar (sim, chegamos a esse ponto de ousadia), insistindo delicadamente no *cheek to cheek*, e suas coxas talvez se aproximassem um quase nada, mas, sim, definitivamente, chegavam mais perto de minha virilha do que o apropriado na época. Como os marinheiros de Colombo ao avistar os primeiros indígenas nas Américas, elas insistiam em me tocar para se convencerem de que eu de fato existia.

"Ingrid se roía de ciúme, e eu aproveitava meus quinze minutos de fama, que se prolongaram para trinta minutos, uma hora... Não era tão bonito nem tão sexy assim, e comecei a desconfiar de que havia algo que transcendia meus atributos pessoais. Até que uma tal de Mônica me tirou para dançar e perguntou, admirada: 'Seus pais sabem que você está no Brooklin Paulista?'. Então caí em mim: judeus não frequentavam bairros alemães e vice-versa; aquela moçada provavelmente jamais vira de perto, nunca falara nem escutara um judeu, muito menos encostara em um corpo de judeu para executar aquela dança ritual, o *pas de deux* que avançava-recuava-avançava e que deixava os rapazes (e a nós mesmas) em ponto de bala, mas cujos limites jamais podiam ser ultrapassados para evitar um destino 'pior que a morte'.

"'Será que eles têm mais sensibilidade no membro viril sem o prepúcio?', elas deviam estar fantasiando naquele pedaço inóspito do cérebro onde o diabo habita. 'Fala-se muito da arte de amar dos orientais; os judeus vêm de lá, não é mesmo? Eles devem saber algo que nós desconhecemos, aleijados que somos pelo pudor e pela hipocrisia das religiões cristãs. E veja só a Ingrid, fetiche sexual do bairro que todos os nossos rapazes cobiçam sem sucesso. Ela escolheu justamente um judeu para namorar, não deve ser por acaso.' E, como as únicas referências dos judeus vinham do Antigo Testamento, lá consta o 'Cântico dos Cânticos', citado por nossos pais e tutores, a primeira e a última vez que eles nos falaram de sacanagem. E o que dizer daquela serpente sensual a rastejar no Paraíso, insinuando-se maliciosamente para Eva e, no fim, dando o bote, e adeus, plenitude, adeus, rios onde fluem leite e mel (afinal, quem é que precisa deles?), e bem-vinda, expulsão do Paraíso, e salve os prazeres do pecado carnal aqui na Terra.

"Valeu a pena? Oh, se valeu! Todas aquelas garotas que me cercavam sonhavam com a tão temida e desejada perda da inútil virgindade, mas lhes faltava coragem para ir em frente. Eu representava o pecado carnal ao quadrado. Por ser homem e por ser judeu, sem falar do fato de que era namorado da cobiçada Ingrid. 'Pelo menos podemos tirar uma lasquinha dele, do fruto proibido.' Elas ansiavam por brincar com fogo só um pouquinho para atiçar a sensualidade reprimida, estupidamente desperdiçada e imensamente frustrada, e depois (ahm, que delícia!) voltar para casa e contar para os pais em tom despretensioso, como se se tratasse de um pormenor sem grande importância: 'Dancei com um judeu e foi muito bom'. Então contemplar seus rostos estupefatos, emudecidos, mas também admirados pela ousadia da 'garotinha deles' de fazer algo que eles mesmos, da geração das leis raciais de Nuremberg, jamais teriam tido a coragem de perpetrar. E assim, desafiando-os, ganhar o merecido e cobiçado alvará de emancipação moral da tutela paterna.

"Bom", digo, e encaro os Mosqueteiros, "admito: parte deste relato talvez seja fruto do arrebatamento criativo do escritor que em mim reside. Mas que algumas delas, aproveitando o rosto colado, deram sua chupadinha no lóbulo da minha orelha e me encoxaram para valer, isso posso lhes afiançar. E olhe lá que o meu membro viril não era mais aquela coisinha encolhida, humilde e escondida atrás da cueca virada."

14

— Encontrei os pais de Ingrid mais algumas vezes, sempre que nossos compromissos sociais ocorriam nas cercanias da avenida Santo Amaro, onde eles moravam. E, quanto mais o namoro progredia, mais destravado ficava nosso relacionamento. Lembro-me do casal tranquilo, harmonioso, dedicado a tarefas domésticas, que levavam rigorosamente a sério, como se fossem assuntos de Estado.

"Uma feita, convidaram-nos para uma refeição ligeira e, no final, o pai perguntou o que faríamos depois. 'Cinema', respondi. '*O manto sagrado.*'

"Então ele enfiou na minha mão cinquenta pratas. 'Hoje vocês serão nossos convidados', disse, e, como se não quisesse escutar protestos, saiu da sala.

"Fazer o quê? Eu me sentia novamente com a cueca virada, e dessa vez a nereida ficou prudentemente ausente. Também, ela só aparecia quando se tratava de sexo. Tarada! Em Olimpo, nos tempos áureos, sua espécie era respeitosamente apelidada de 'nossas senhoras do baixo-ventre'. Com milênios de abstinência, então... E eu estava lá, indeciso, na casa de um ex-soldado alemão, sem saber o que fazer. Balbuciei um quase inaudível 'obrigado' ao qual ninguém respondeu. Vamos lá, procurei convencer-me, trata-se de uma indenização de guerra mais que merecida. Se soubesse quem ele era, teria pedido mais cinquentão para o jantar."

Celso, ignorando minha ironia macabra, interrompe:

— Quem costumava pagar as contas?

— Geralmente eu. Às vezes Ingrid.

— Nada demais, um cinema. Tavares de Miranda aprovaria.

Mario, porém, acrescenta com ênfase:

— E quando era convidado, você levava algum mimo? Um vinho, uma sobremesa?

Encolho-me, culpado, e não respondo. Pudera ter um pai ou pelo menos uma nereida menos tesuda para me orientar.

— Compareceu também um alemão, Horst Bucholz, meu ex- -quase-futuro-assassino. — Esboço uma careta solene de mistério insondável, para deixar os Mosqueteiros na ponta dos cascos. Depois, emendo casualmente: — Voltaremos a isso depois.

No fundo do peito, minha heterônima da ocasião, Agatha Christie, sorri maliciosamente.

— Outra vez, chegando lá, encontramos o pai cercado de papelada, fazendo a declaração de imposto de renda. "Coisa séria, senhor Gabriel, nossa retribuição ao Estado pelos serviços que dele recebemos. Já fez a sua? Ou a de sua mãe? Caso precise de ajuda, pode contar comigo. Eu já sou especialista." Não acreditei. Foi a primeira vez que escutei alguém falar com motivação, quase, diria, com entusiasmo, sobre o imposto. E nem sombra de sonegação ou de algum artifício, mesmo que fosse legal, para reduzir o valor a pagar.

"À altura da declaração de bens, ele me fitou com olhar carente. 'Imposto de renda me dá fome. Vamos assaltar a geladeira', acrescentou, jocoso. Depois, com genuíno ar de preocupação: 'Mas, por favor, não diga nada para minha mulher. Sou proibido de comer fora da hora. Problema de coração', e apontou para o peito. Ele disse isso com o rosto do meu lado enterrado na palma da mão, como de costume. Simples cacoete, nada mais, eu concluía, de permanente má-fé. E sentia-me premiado pelo fato de o pai de minha amada, supostamente soldado (raso) do Terceiro Reich, me incluir, a mim, um judeu, em seu círculo íntimo de confidentes, em conluio inocente, mas culposo, contra a mulher. O que eu ainda não sabia, na época, era que se tratava de um dos maiores carniceiros de toda a história humana.

"Eu, que levava ao lado de minha mãe uma vida sempre agitada, sempre acompanhada de carências de todo tipo, admirava e até mesmo invejava esse inflexível rigor germânico, que de vez em quando resvala para o genocídio; mas nisso eu não pensava, não queria pensar, recusava-me a pensar, apaixonado que estava por Ingrid. Fazendo um esforço danado, e havendo motivo para isso, a gente se faz de completo imbecil. Mas não faz mal, estou mesmo pensando em escrever um novo livro: *A vida íntima do Conde Drácula*. Que tal?"

15

— Vinte e sete de janeiro. Dia de Libertação de Auschwitz. Ingrid me interpelou, mais que isso, intimou-me: "Você vai para a sinagoga? Pelo menos, para homenagear seu pai, você deve ir". Não sou religioso, a sinagoga não me atrai, mesmo assim concordei.

"'Então eu vou junto', respondeu ela em tom imperativo, para que eu nem pensasse em recusar o autoconvite. Fiquei apreensivo. Aparecer na sinagoga com uma *schikse** com aquela cara de Brunhild de Wagner, por mais bonita que fosse, provavelmente equivalia, para os mais religiosos, a uma dessacralização do templo.

"Enfim, comparecemos. A cerimônia foi comovente, como era de esperar, com choro e lamentações, como era previsível, e com discurso do rabino, como era inevitável. No fim da solenidade, Ingrid dirigiu-se ao tabernáculo, onde se guardam os rolos sagrados, ajoelhou-se e juntou as mãos em oração como os cristãos fazem. O gesto, inusitado em sinagoga, chamou a atenção do rabino. Ele dirigiu-se a Ingrid, mas ela não esperou a interpelação. Encarou o rabino, resoluta, quase desafiadora, com duas lágrimas gordas nos cílios prestes a desabar.

"'Por que estou aqui, de joelhos? Por não ser judia, por ser cristã, por ser austríaca, na época alemã e por ter ousado viver uma infância feliz enquanto eles morriam nos campos. Não

---

* Mulher não judia. (N. E.)

basta? Então tem mais um motivo. Por amar Gabor e por querer implorar perdão ao seu pai trucidado, por ser eu imperdoavelmente o que sou.'

"Eu não disse nem entendi nada, mas, naquele instante, iniciei minha viagem de redenção pelo buraco de minhoca."

16

— O buraco fechou abrupta e dramaticamente algumas semanas depois. Recebi uma ligação de Ingrid, e ela não prometia grande coisa. O tom de sua voz lembrava um funeral. Ela me convocava para um encontro no dia seguinte, e a convocação estava mais para um ultimato que para as doces saudades de uma amante.

"No dia seguinte, compareci à confeitaria Yara, na rua Augusta. Ingrid já estava sentada a uma mesa, chorando. Pela primeira vez eu a vi descuidada, abandonada, quase feia. O cabelo desarrumado, a cor dos olhos puxando para o cinza, lábios com crostas de ferida. Sentei e por um tempo nenhum de nós falou. Chamei a garçonete e pedi dois apfelstrudels. Pensei, qual austríaca não se enternece com uma torta de maçã?

"Ingrid enxugava as lágrimas com os punhos. Demorou até pronunciar o fatídico 'fim de nossa relação'. Assombrado, perguntei: 'Você se apaixonou por alguém?'. Ela respondeu 'Digamos que sim'. Mas o 'sim' dela reverberou por todos os cantos da confeitaria como um enfático 'não'. Terminou, acabou, não insista, tenha uma boa vida, esqueça-me, seja feliz, bolo com chantili, por favor (para a garçonete). E chorava.

"Onde eu errei, indagava-me, e mentalizei todos os meus pecados cometidos na festa de Ingeborg, e olhe que não eram poucos, mas todos eles motivos de repreensão e apenas isso.

"Engraçado como as grandes desgraças aguçam a capacidade de observação dos pequenos detalhes. Parece que nosso mecanismo de defesa para evitar uma descarga excessiva de adrenalina se fixa em paliativos de pouca expressão. Lembro-me de detalhes irrisórios: os olhares de compaixão das mesas vizinhas dirigidos a Ingrid e de censura a mim. Frases suspensas no ar, como '... roupa suja se lava em casa' e '... imbecil, só fica olhando sem tomar atitude' e que, como a espada de Dâmocles, estavam prestes a desmoronar sobre minha cabeça. Uma dor forte subia pela garganta e, para despistá-la, pensei com ironia: 'De todas as desgraças e golpes do dia, pelo menos acertei no bolo de maçã'. Mas não, Ingrid nem tocou no bolo, pedir chantili foi um simples reflexo condicionado.

"Eu não percebia na época, mas, nos bastidores, Eros e Thanatos choravam juntos, pranteando o fim de sua aliança improvável e única. O atalho entre o perdão de Deus e as 'dez gerações' havia deixado de existir, o buraco de minhoca era apenas uma fórmula matemática elegante sem vertente prática. As palavras do Deus Único terminam, invariavelmente, em exclamação indelével, tatuada a ferro e fogo em nosso destino, e sempre prevalecem.

"Não pode ser, não aceito, pensava, desnorteado. Ninguém termina um relacionamento íntimo e intenso assim, aparentemente sem motivo, e chora como uma condenada. Uma contradição inaceitável.

"No dia seguinte, levei um lindo ramalhete de flores para Ingrid com um bilhete de amolecer uma rocha: 'Para minha primeira, última e eterna namorada'. Cada palavra refletia a verdade de nossa relação. Ela leu o bilhete e suas mãos tremiam, o corpo todo tremia, e continuou a chorar convulsivamente. Depois, a palma de sua mão envolveu meu rosto e acariciou-o uma, duas, infinitas vezes. Mas não cedeu. Terminou, findou, acredite que é melhor assim, mais um último beijo e mais um... mais um; adeus, Gabriel, meu primeiro, último e eterno amor.

"Em desespero de causa, pedi-a em casamento. Vejam em que ponto eu estava. Se ela aceitasse, viveríamos como? Seguiram-se mais beijos, mais abraços e mais um categórico 'não' regado a lágrimas."

Alan, no afã de aliviar a tensão do romantismo piegas, dispara:

— Já sei! Mão de vaca como você é, o ramalhete de flores eram ervas daninhas colhidas na praça da República.

Não dou importância. Todos sabem do pavor de Alan pelo sentimentalismo. Mereceria um livro à parte, mas não neste. Tenho de lidar com Ingrid, o que já não é fácil. E tem outra coisa. A acidez crítica de Alan já dissolvera vagalhões de excessos verbais em meus escritos. Ele é um "bem" com embalagem de "mal". Um mal necessário a todo escritor.

— *Finis operis* — diz Celso em latim, com sua delicadeza diplomática.

Eu também quero aliviar a tensão emocional causada pelo relato, e continuo:

— Pois sim, parti com a alma destrambelhada, com a autoestima em frangalhos. Mas também com a raiva resvalando para um confuso e inconfesso desejo de retribuição. Sabem, a divindade Eros é carinhosa, frívola e volúvel, de curta memória. Bem que Vinicius dizia que é eterno enquanto dura. Poucos anos depois, me apaixonei por minha atual esposa e nos casamos. Encapsulei Ingrid em um recôndito gratificante, mas definitivo, da memória. E toquei minha vida.

"Ainda escutei relatos de amigos comuns que tinham visto Ingrid na doceria Yara sozinha, ensimesmada com uma xícara de café à sua frente. Sem chantili. Alguém a chamou, mas ela não respondeu. Ninguém insistiu, respeitaram sua solidão.

"Sonhei (ou fantasiei?) que a encontrei na rua Augusta, bem em frente à Yara. 'Vai um cafezinho?', perguntei-lhe no sonho. Ingrid aceitou, entramos na doceira e a emoção por pouco não me acordou. Os mesmos arcos de gesso dividindo os ambientes de cada mesa, propiciando até mesmo um beijo furtivo ou um abraço mais apertado e íntimo sem chamar atenção, as mesmas toalhas de mesa tirolesas com estampa vermelha e branca, os abajures com miçangas coloridas, o aroma de café recém-torrado. E a voz de Ingrid quando ela me dispensou, reverberando nos quatro cantos do recinto: 'Digamos que sim', em resposta ao meu icônico 'Você se apaixonou por alguém?', colidindo em meus ouvidos com a força de um meteoro espatifando-se contra a Terra.

"'Tem vindo aqui?', perguntei-lhe para iniciar uma conversa entravada pela irrelevância.

"'Tenho. Pelas lembranças, pelos rostos familiares. E você?'

"'Evito. Pelas lembranças, pelos rostos familiares. E por você.'

"O que mais havia a ser dito? Recriminei-me depois por não tê-la derrubado e a tomado em cima de uma mesa, cobrindo nossa nudez com a toalha manchada de café. Por que não? Afinal, em sonho, tudo é permitido. Mas não com Ingrid.

"Alguns anos depois, certa manhã, ao abrir o jornal, me deparo com o retrato do pai de Ingrid, preso como criminoso de guerra. Comandante do campo de Treblinka. E aqui, amigos, uma digressão se faz necessária: quando a Hungria fora invadida pelas tropas nazistas em 1944, os russos já tinham libertado boa parte da Polônia, havia poucos campos de concentração que ainda subsistiam. Não sei em qual ou quais deles minha família foi assassinada, mas tanto faz, o comandante tinha sido o responsável direto pela morte deles. Como se ele mesmo tivesse disparado o revólver, acionado a manivela do gás e organizado a cota de cadáveres a ser diariamente produzida.

"O que eu senti? Não sei. Meus sinais vitais entraram em colapso. Recordo vagamente do suor gelado do horror encobrindo-me. Da vontade de descartar meu corpo, que de alguma forma se conectara com o dele. Tomar ácido sulfúrico para desinfetar a boca que se dirigia a ele gentilmente como se deve fazer com o pai de uma namorada. Furar os tímpanos que escutaram sua voz, a mesma voz que meus avós escutaram ao entrar nos 'chuveiros'. E, em especial, amputar a mão direita, que apertara a dele. Vencido o horror e recuperando uma espécie de racionalidade confusa, iniciou-se um colóquio íntimo arrasador entre minha consciência e meu alter ego em frangalhos. Assim, em resumo:

"Eu: 'Mas Ingrid não tinha nada a ver com isso'.

"Alter ego: 'Você sabia do risco. Afinal, ela mesma insinuou que os pais haviam votado nos nazistas. Mas os seios dela, admito, apetitosos, turvaram a visão do relógio à beira da cama e de seu melancólico *tuuuu* aos domingos de manhã com seu pai. Lembra-se? Aquele doce, saudoso som na aurora de sua vida e que cessou de repente, e você passou a infância, a adolescência e o início da idade adulta intuindo sua dolorosa ausência, sentindo um rombo de silêncio na alma, a voragem de algo precioso que se foi. Mas vez ou outra ela volta ainda nas asas da intuição, como no deplorável incidente das cuecas viradas. Você não teria precisado de ninfa ou nereida alguma se tivesse havido um pai. Que sua cegueira voluntária não sirva de álibi para sua libido'.

"Eu: 'Desconfiava do pai dela, admito. Mas, quando indaguei sobre o passado, Ingrid mudou de assunto e me perguntou se eu queria beijar a ela ou a seus pais. Pois não quero beijar ninguém agora, quero apenas dizer 'sinto muito' a uma mulher inocente que eu amava'.

"Alter ego: 'Sente muito por que motivo? Por uma mentirinha sem-vergonha qualquer, uma traição corriqueira, um ato falho? E o assassinato de toda a sua família, será que comporta o termo *sinto muito*?'."

Finalmente eu me recordo do véu da dúvida sobre a notícia do jornal. O ceticismo procurando impor-se às evidências. Paro um pouco, procuro reunir coragem para o que vou dizer:

— Confesso, amigos, que, enquanto segurava com dedos crispados o jornal que dava os detalhes do crime do pai de Ingrid, enquanto fitava o título, os textos e, em especial, as fotografias, eu entendia a mensagem que me transmitiam, mas não compreendia seu significado. Ele se recusava a fincar raízes nas mais íntimas camadas de meu ser. Meu quase sogro, pai de minha namorada, um serial killer, possível assassino de minha família, não, isso eu não podia e me recusava a assimilar.

"A língua francesa, com suas nuances finas, tem uma expressão, *Esprit d'escalier* (Espírito da escadaria). Assim: um hipotético fulano descobre que sua mulher o trai com o melhor amigo dele. Voltando para seu apartamento, ele sobe a escadaria cheio de ódio, de desejo de vingança, e imagina o que faria se encontrasse o desafeto a sua frente. Mataria? Chamaria a polícia? De repente, numa curva da escadaria, descendo, aparece o amigo traidor e o cumprimenta. O que o fulano faz? Cumprimenta de volta e deixa-o passar. Ele entendera o desaforo, mas não o compreendera. O primeiro verbo é puramente fisiológico. O segundo, existencial. O fato reverberava em seus tímpanos, contudo se recusava a se espelhar em sua alma. Igual a mim. Em vez de odiar o comandante, em vez de odiar a mim mesmo por ter frequentado sua casa como 'quase' genro querido, eu me cobri com uma carapuça de ironia, de autoengano, de incredulidade, revesti minha alma com uma camada impermeável de negação. Recusava a admitir a verdade no âmago de minha consciência.

"Fechei os olhos para não enxergar os fatos relatados nas páginas do jornal que me obrigariam a enfrentar a realidade. Imaginava escutar sua voz, uma voz humana a que estava acostumado, e não o uivo da besta que deveria ter lá em Treblinka. Ele se dirigia a mim assim: 'Senhor Gabriel, somos todos humanos. Qual de nós nunca tomou um pileque na vida e ficou, como diria... inconveniente. Mas depois vêm a ressaca, o arrependimento e a promessa: 'ponto fora da curva, esqueçamos, prometo, nunca mais'.

"Que horror. Oitocentos e cinquenta mil mortos fora da curva devido a um pilequezinho vagabundo. Se ele se tornar alcoólatra, não sobra mais ninguém no mundo.

"Sentia a textura do jornal na mão, e o que eu via antes de relance e me recusava a acreditar agora afundava cada vez mais como adaga em meu peito. Enxergava-o com o chicote, tocando meu pai, meus avós, para dentro da câmara de gás. Será que ele gravava e escutava extasiado seus últimos estertores? Ou através de um olho mágico assistia com enlevo à agonia final deles? Será que ele gozava no fim do espetáculo? Não, burocrata feito ele goza mesmo ao elaborar os relatórios de 'refugos' produzidos, em especial quando a curva de produção cresce exponencialmente. Imaginei-o preparando o relatório, praticamente desenhando com esmero de artista plástico cada índice, com algarismos redondos, caprichados, precisos como em desfile militar, os números perfilando com passos de ganso em colunas e fileiras milimetricamente fechadas rumo à mesa do Reichsführer Himmler... *Ach... Ach... Wunderbar!* Agora sim ele gozava.

"A adaga penetrava mais. Já sentia o coração sangrar, sim, a verdade, devagar, encontrava seu caminho. Imaginava-nos sentados na copa (antes era na sala de jantar, mas agora eu já contava como parte da família), a mãe de Ingrid me servindo o indefectível sachertorte e o senhor Stangl vestindo sua túnica branca tão temida em Treblinka, arrancando a perna de uma vítima como se fosse coxa de frango assado, rasgando com os dentes a carne crua, estufando a boca, restos de comida e saliva escorrendo pelo canto dos lábios. 'Última ceia, *zaujude'*,* ele se dirigia a mim com ódio. 'Quero arredondar os números do meu prontuário para oitocentosecinquentamileum.'

"O sangue de minha alma já jorrava em jato forte e espesso, e ele, como se enxergasse minha agonia, atenuou sua arenga em minha febril fantasia: 'Senhor Gabriel', disse, 'estou lhe recebendo em minha casa, ceamos juntos, empresto-lhe minha filha a fim de miscigenação, ninguém deve mais nada a ninguém. Estamos

---

* Em tradução livre do alemão, "judeu porco". (N. A.)

quites'. Meu sangue emporcalhava sua impecável túnica branca e tingia de vermelho a mão que ele estendia a mim.

"E fiz a contabilidade: sachertorte e a honra da filha pelos oitocentos e cinquenta mil.

"E um."

17

— E apareceu meu pai também, magro, em agonia, à beira da morte. 'Meu querido filhinho', ele diz, 'quando eu morri, alguém te estendeu condolências e disse que sentia muito? A alemã, sua namorada, mencionou aquele verso, como é mesmo? *Exoriare aliquis...* das quantas, referente a um vingador. Muito grandiloquente. Eu não quero vingança. Quero apenas respeito e quem sabe alguma reverência aos meus ossos espalhados pelas lixeiras da Alemanha. Imagine você se casar com ela... E vai dizer o que a vossos filhos? Beijinho no vovô, ele é um pouco genocida, mas quando não sofre surto é um bom sujeito. Ele matou vovó, vovô, titios e pencas de priminhos, mas deixa pra lá...'

"Responder o quê? Em suma, não telefonei e, na época, não procurei Ingrid. Arrependi-me depois. Mas também me arrependeria se fizesse o contrário. Situação perde-perde irreversível, sem solução.

"Meus amigos, confesso-lhes que até hoje não sei o que faria se aquele monstro aparecesse no topo da maldita escadaria. E pergunto a mim mesmo: quem é que apareceria? O açougueiro de Treblinka, sobre quem eu li, ou o pai de família empático, camarada, que eu conheci?"

Mario me estende um verso que ele escreveu com Alan num intervalo do meu relato.

— Talvez isto ajude — diz, e eu leio:

ODE A GABRIEL E À GIRAFA

Na primeira vez no zoológico, o menino Gabriel encontra
A girafa.
Pescoço sem fim, cabeça mirrada
Não pode ser, uma "roubada".
Olho nos olhos do bicho, dedo em riste
O menino insiste
Decididamente esta aberração à minha frente
Não existe.

Algo em mim adota uma postura defensiva e procura me proteger.

— Aprendam a escrever poesia antes de fazê-lo — digo, agressivamente. — Tudo rima pobre. Francamente! E por que em verso?

— Questão de ênfase — Mario responde, aparentemente ofendido. — Verso é a porção nobre da língua. Em prosa, qualquer lista de supermercado vale. — Porém, como não é de guardar rancores, ele insiste: — O vulto na escadaria é a girafa. Ela existe, sim. Pule em cima dele, mate-o, faça o que quiser, mas não a deixe passar. Ele não é teu quase sogro, ele é o monstro de Treblinka. Reconheça-o como tal. Crave a realidade na tua alma. Depois a alma acha o caminho para a cura.

— Isak Dinesen, a escritora dinamarquesa, disse: "Toda grande dor pode ser suportável se você escrever sobre ela" — Celso pronuncia isso calmo, introspectivo, mas para meus ouvidos suas palavras soam como o trovão divino no Juízo Final. Em precisos dez segundos eu tomo a decisão de escrever um livro sobre Ingrid e lançar a pústula que envenena minha alma há quase sessenta anos. E, se o monstro teima em resistir ao teste da escadaria, com certeza não resistirá ao teclado do meu laptop.

(O livro agora já está escrito. Ainda não sei qual seria minha reação se encontrasse o comandante Stangl assim de repente, mas pelo menos não o vejo mais descendo a escadaria. Ele me evita. Bom sinal.)

— Mas nem tudo está salvo — pondero, e vejo com desânimo as pálpebras de meus amigos cederem ao cansaço. — O cérebro humano é um labirinto repleto de atalhos obscuros que não levam a lugar nenhum e de compartimentos surpreendentes que só servem para camuflar as saídas. Na casa de Ingrid, eu havia encontrado a família que sempre me faltara. Unida, amorosa, sólida. E agora estava prestes a perdê-la. Os franceses, novamente eles, exímios exploradores das sutilezas de seu idioma, têm uma expressão: *Nostalgie de la boue*. A saudade subversiva deixada pelo que é baixo, indigesto e repulsivo em nossa vida. Eu não podia mais fingir e ignorar as atividades do pai de Ingrid durante a guerra; mesmo assim, fantasiava com as mãos seguras e amorosas dela me conduzindo à casa de seus pais e lá me submetendo a um inocente e singelo flerte com a malignidade. Vamos lá, sejamos mais precisos: uma intimidade aconchegante com o mal absoluto.

"No devaneio, o pai me esperava com seus cálculos de imposto, secundado pelos assassinos da rua Sziget, todos eles lobotomizados, sem memória, sem remorsos nem recalques, convertidos em inocentes, diligentes e dedicados tributaristas. E passei a conviver placidamente com minha tóxica contemporaneidade, discutindo com eles os finos detalhes da lei sobre isenções e descontos. De repente, no delírio — que horror! —, surpreendi-me defecando no palco do Cine Belas Artes em plena projeção de *A lista de Schindler,* à frente da plateia. Nada, porém, para me agastar. O cheiro que emanava de meus dejetos era do perfume delicado do Bandit de Robert Piguet que eu havia dado de presente a Ingrid, e a plateia, revoltada, voltou deliciada aos assentos. Isso é *nostalgie de la boue*."

Encaro os Mosqueteiros. Meu delírio exige alguma explicação.

— Amigos, cuidado com essa síndrome. Trata-se de nosso *doppelgänger*, o irmão gêmeo maligno que nos espelha do lodo, implacável, doido para dar uma rasteira em nossa vida. E querem saber de uma coisa? Vocês também já encararam esse irmãozinho depravado. Recordam quando contei da vez que o comandante me deu cinquenta pratas para a entrada do cinema? Lembro-me bem da presteza, diria até volúpia, com que vocês mergulharam no incidente. Perguntaram detalhes, opinaram, contestaram, pois não é todo dia que se participa do cotidiano de um monstro. Mesmo que seja participação de segunda mão. Não neguem a piscadela que deram para o ogro. Talvez sem saber, mas deram.

Os Três Mosqueteiros se levantam. Celso, na certeza de que a história terminou, estica as pernas e os braços adormecidos e reprime um inoportuno bocejo.

— Sem dúvida muito instrutivo, emocionante, mas agora vamos dormir.

Faz menção de abrir a porta e nos ver do lado de fora.

Alan, agressivo como sempre, acrescenta:

— Já escutei tudo isso na ópera *La traviata*, chorei tudo o que tinha que chorar com meus doze anos. E ainda por cima os dois amantes se reencontram no epílogo...

— E quem disse que no meu caso não se reencontram? — pergunto, ainda sentado e já prevendo a reação destemperada do grupo. Com expressões de surpresa e de assombro se revezando nos rostos e como se tivessem combinado a atitude a ser tomada, todos sentam de novo. Celso fecha a porta e se esquece das câimbras, e Alan se arrepende da ironia inoportuna.

— Se reencontraram? Depois de tudo isso? E você não nos conta nada? — As perguntas rodopiam como balas perdidas, todas dirigidas a mim.

— Não foi bem assim — respondo, procurando apaziguá-los —, mas quase. Agora vamos todos para casa, continuamos amanhã.

A verdade é que estou cansado demais para enfrentá-los nesta fase mais melindrosa, mais controversa de minha vida, na qual nem eu mesmo sei distinguir entre ficção e realidade.

Preciso estar com a mente alerta; os Três Mosqueteiros, que eram quatro, não perdoam deslizes cognitivos, penso, incluindo-me, o quarto mosqueteiro, sem querer entre os descrentes. Ato falho.

Enfim, exaustos, sonolentos, partimos.

18

Não combinamos nada explicitamente, contudo estava subentendido que no dia seguinte o encontro seria na casa de Celso mesmo. Ninguém mais tem uísque de vinte e poucos anos servido generosamente e sempre acompanhado de petiscos exóticos cujas receitas foram importadas da longínqua Letônia pela família. Há também um cão simpático com o nome de um poeta inglês.

Começo sem delongas, pois, para a paciência dos ouvintes, até mesmo as histórias mais eletrizantes têm prazo de validade reduzido.

— Aconteceu muitos anos depois de meu romance com Ingrid. Eu tive aquele AVC e vocês me visitaram no hospital, lembram? Pois na hora eu falei apenas do AVC e não contei nada sobre o evento maior que ocorreu na UTI e que me deixou com sequelas indeléveis. Deveria acrescentar também que na época não havia um *A lista de Schindler* para romper minha represa particular de emoções. Enfim, como vocês talvez se lembrem ainda, me levaram para o Hospital São Luiz, fizeram exames de tomografia, ultrassom, ressonância magnética e outros e constataram o rompimento de veias no cérebro. Abriram meu crânio, drenaram o sangue, me intubaram, espetaram, apertaram e beliscaram de tudo que foi jeito. Depois, depositado na UTI, fria, solitária e impessoal, empalado por tubos, esqueceram de mim. É como se tivessem determinado: "Fizemos nossa parte. Agora é com você". Aliás, essa seria uma perfeita inscrição na entrada de UTIS em geral. Letras maiúsculas, com tipos góticos para realçar sua fatalidade. Ela se somaria a outras inscrições igualmente sombrias, como "*Lasciate ogni speranza voi ch'entrate*" ou "*Arbeit macht frei*", ambas em portas de inferno, cada uma em seu inferno particular.

"Eu tentava dormir e não conseguia. Será que meu AVC era herança familiar? Fiz uma chamada mental para meus antepassados e perguntei-lhes se tiveram problemas circulatórios. Recebi poucas respostas, eis uma consequência menor do Holocausto: a maioria foi morta ainda jovem. Não sabiam de que doenças teriam morrido se lhes tivesse sido permitido morrer sua própria morte. Na bruma da semiconsciência, estirado na cama, destacava-se uma frase em minha mente: 'A partir dos sessenta anos, todos nós devemos saber de que vamos morrer'. É um imperativo? Uma questão de lógica, de dedução ou de intuição? Quem disse isso e por quê? Postulada talvez para realçar nossa morte consciente, em contraste com a morte meramente biológica dos animais e vegetais. Um apelo ou uma ameaça? E o que acontece se afinal eu morrer de algo diferente do previsto? Alguém vai me cobrar isso no Juízo Final? Talvez seja uma maneira inédita, original, de separar os incautos dos precavidos. Os primeiros vão para o Purgatório. Os segundos, direto para o Céu.

"Lembro-me de sentir uma necessidade vital de saber que horas eram. A pequena janela basculante com a cortina puxada revelava escuridão lá fora. Ainda noite, não pode ser! Diz o ditado que *tempus fugit*. Antes fosse. Mas, não, na UTI o tempo empaca, estaciona, finca raízes; gostaria de acrescentar-lhe alguns dias a mais e sair daquela miséria direto para o cemitério ou para casa."

Faço uma pausa, reclinando a poltrona da biblioteca de Celso, sem saber exatamente como continuar.

— Meus amigos, obrigado por escutar com paciência minhas arengas sobre a vida no limiar da existência. Acreditem, não foi puro exercício de estilo gongórico. Eu quis realçar meu raciocínio anuviado, sombrio, porém racional, na hora em que Ingrid entrou no cubículo.

Celso está prestes a apanhar um canapé, porém retira apressadamente os dedos e reclina-se na poltrona. O canapé permanece órfão na bandeja. Os demais me encaram com espanto, o cenho franzido em descrença.

— Tal qual no curso de Madureza, Ingrid não entrou de uma vez. Entrou em partes. Primeiro a figura de avental branco com topete de enfermeira na cabeça e estetoscópio no pescoço. Depois entraram os olhos, sim, não preciso repetir, aqueles olhos oceânicos azuis de humilhar todos os demais olhos azuis. Quando ela falou em sua voz de veludo com uma pincelada de mel para adocicá-la, não havia mais dúvida. Ingrid.

"'Gabor, bela figura você faz aqui, largadão na cama com todos esses tubos. Vejamos...' Apanhou minha ficha no encosto da cama. 'É hora de fazer xixi.'

"Colocou o papagaio hospitalar entre minhas pernas, ajeitou com destreza meu pênis no gargalo; ai, que vergonha, pênis minúsculo como pupa de borboleta, mole como minhoca e melado com urina, suor e sei lá o que mais. Ninguém merece tamanha humilhação.

E ela sorriu da minha vergonha. 'Bom, ele já viveu dias melhores', disse e apontou para meu pipi. (Seria muita pretensão chamar aquele apêndice aleijado de pênis.) 'Mas, enfim, quem usa as cuecas de trás para a frente para esconder a grandeza de seu gênero termina seus dias assim mesmo. E agora diga o teu nome.'

"'Gabrixxxch.'

"Ela tomou meu pulso, examinou a urina no papagaio, cheirou-a, só faltou degustá-la. Depois apanhou o telefone: 'Doutor, o paciente do dezoito está virando pamonha. Precisa de mais oxigênio e favor verificar o metabolismo'.

"Eu perguntei ingenuamente, fazendo jus ao apelido de pamonha: 'Ingrid, é você?'. Notei com satisfação que minha língua não enrolava mais. Milagres do oxigênio.

"'Isso depende', respondeu ela, com cara de esfinge. 'Eu sou uma ficção do que sobra do seu consciente. E quem sou eu para desmentir os devaneios de um moribundo? Portanto, escolha você mesmo. Se quiser, eu assumo com prazer o papel da tal de Ingrid. Sabemos respeitar os últimos desejos.'

"Fiquei pasmo com sua indiferença.

"'Que geladeira, Ingrid. Sei que errei, mas...'

"'As tuas flores, eu as guardei. Já estão secas e murchas igual ao teu 'eterno amor' do bilhete. Poucos anos depois você já estava casado. O teu eterno amor durou pouco.'

"'Mas, Ingrid, foi você que me dispensou. Lembra? Será que se arrependeu depois? Eu te fiz sofrer com meu casamento?'

"Ela soltou uma risadinha nervosa. 'Agora você vai querer ouvir que eu fiquei mortalmente ferida com sua indiferença? E respondo o quê? Se digo sim, você vai se sentir culpado. Se digo não, a autoestima desce pelo ralo. Opte pela autoestima ou pela boa consciência. Os dois não dá para salvar.'

"'Quando teu pai foi preso, pensei em te telefonar. Mas falar o quê? Expressar solidariedade? Perdoe-me por dizer isto, mas solidariedade com o assassino de metade da minha família? Eu sentiria como se cuspisse em cima da vala comum anônima perdida em algum lugar da Alemanha onde eles foram despejados como detrito.' Senti que fui duro demais com ela e tentei esboçar um sorriso.

"Ela não parecia se incomodar. Já se acostumara a escutar as palavras 'assassino' e 'psicopata' em relação ao pai. 'Não', disse, 'eu esperava solidariedade comigo. Lembra do nosso primeiro beijo? Você tinha dúvidas sobre o passado nazista dos meus pais e eu te perguntei se queria beijar a eles ou a mim. Você não hesitou e foi adiante. Pois naquele momento não precisava beijar uma virgem, fingindo-se de relutante, mas doida de vontade de ser beijada. Bastava apenas discar meu número no telefone e dizer 'estou triste por você, Ingrid'. E desligar. Só isso. Mas eu me vinguei. Meu pai estava preocupado com meu futuro. Sem um provedor, o que será de você?, ele se perguntava. Na última vez que falei com ele, já na cadeia, menti dizendo que você havia proposto casamento e que eu ia aceitar. Logo em seguida, ele morreu. E morreu feliz. Graças a você. Pequena vingança por tua indiferença. Quanto ao meu pai, psicopata de carteirinha, não há o que falar. Mas ele negou veementemente aquela história do bebê na ponta da baioneta.' Ela estendeu os braços, sinalizando impotência e resignação. 'No fim, é irrelevante. As câmaras de gás e os crematórios estão aí. O resto é detalhe. Responsável por quantos mesmo? Setecentos mil ou oitocentos e cinquenta mil mortos? Por mim poderiam arredondar para um milhão. Na prática não faria diferença e facilitaria a contabilidade quando fizer o inventário da minha herança genética.'

"Eu sentia em sua voz o estremecimento da autopiedade. Resolvi generalizar a conversação.

"'Seis mortos constituem uma tragédia. Seis milhões, uma estatística, disse Stálin (e logo ele). Para evitar as generalizações estatísticas impessoais, talvez precisemos singularizar os mortos. Lembro-me do relógio de meu pai no espaldar de sua cama. Eu, deitado com ele no domingo de manhã, puxava-o pela alça e brincava de trenzinho. E ele imitava o apito do trem. *Tuuuu.* Pronto, ele não é mais um pai qualquer, ele é meu pai. Na mesma linha, eu pergunto: quantos Freuds, Einsteins e Mendelssohns, cada um com seus sentimentos, ideias, idiossincrasias, fobias e preferências, morreram entre os seis milhões?'

"Depois pensei melhor.

"'Besteira, perdoe-me, efeito da anestesia. Não tem nada a ver. Diante da morte, você, eu e os Einsteins somos todos pasmos, molhando as calças por igual. Então quantas vidas honradas... Bobagem. Todas são honradas. E, se não forem, quem somos nós para julgar? Vamos refazer o enunciado, Ingrid: seis milhões de vidas criadas por alguém, alguma coisa ou alguma ideia que rege o universo, e, por terem sido criadas, são fragmentos indispensáveis do Todo. Cada vida com seus filhos na cama no domingo de manhã, brincando de trenzinho. E nós os subtraímos. Crime de responsabilidade não sua, nem minha, nem mesmo de seu pai, mas de toda uma geração. E, quanto à sua herança genética, você não tem nada a ver com teu pai. Para começar, ele nunca teria namorado uma judia.'

"'Quer tomar chá?'

"Ela já pegou o copo e um canudinho e aproximou-os da minha boca. Eu não tinha vontade de tomar nada, mas não quis contrariar a moça. Em especial porque percebi, pelo olhar guloso, que ela queria falar mais.

"'Você falou em seis mortes constituindo uma tragédia. Pois, no caso do meu pai, a tragédia se consumiu com apenas uma morte. A do bebê na ponta da baioneta, presumindo que a história realmente tivesse acontecido. As demais mortes afundavam lentamente no lamaçal da estatística. Todo o resto fazia parte do anonimato dos números. O bebê foi o deslize maligno de sua vida. Até aquele instante ele havia sido um bom e decente ser humano, e a partir daí voltou a ser bom. Porém, aquele bebê agonizando, aquele instante, meu Deus, como explicá-lo... como conviver com isso? Provavelmente ele encapsulou o evento em algum recôndito inalcançável de sua alma e aprendeu a viver com ele, mas as estatísticas teimavam em ressurgir do lamaçal para assombrá-lo. Que nem os judeus mortos emergindo das valas comuns.'

"Ela olhou para o relógio, preocupada.

"'Tenho mais três horas de plantão. Vou falar para minha colega atender os demais pacientes, que são poucos hoje. Quero te contar algumas coisas.'

"Olhei para a janela. Uma minúscula nesga de luz se sobrepunha à escuridão. Madrugada, constatei, e procurei me pôr confortável entre os tubos e os fios presos ao meu corpo. De alguma forma, as três horas seguintes seriam importantes para minha vida, pensei, inquieto, e também com ansiedade febril.

"Ingrid voltou, sentou-se à beira da cama e pôs a mão sobre minha perna. Agradou-me o gesto carinhoso de intimidade após todo aquele episódio de 'geladeira' indiferente a meu respeito."

19

— Ingrid começou a me contar. "Você é escritor, Gabor, eu sei. E estou sufocando com as palavras subindo na garganta sem saber que fim dar a elas. Lembra quando você me recomendou ignorar o retrovisor? Pois não consigo. Trata-se do começo, o primeiro ato da desgraça que destruiu minha família. A desgraça desabou não apenas sobre nós, mas sobre a Alemanha, não como um cataclismo, conforme a maioria pensa, nem acompanhada por um trovão divino a estremecer o planeta. A desgraça se insinuou por debaixo da porta, sem estrondo, delicadamente, deixou todos ébrios, e quando se percebeu o estrago já era tarde demais. Pois é, o mundo acabou, '*Not with a bang but a whimper*', como disse T. S. Eliot. Escreva sobre isso para que a desgraça não se repita."

"'Veja como quadros bucólicos de ternura podem virar, num piscar de olhos incautos, cenas do inferno. Eu já tinha uns seis anos quando apareceu lá em casa um sujeito de uniforme preto solicitando uma conversa com meus pais. Nada de soberba, de ostentação, de bater os calcanhares, de braço em riste, não. Mesmo criança eu ainda me lembro muito bem: ele era atencioso, educado, tinha boas maneiras. Pediu licença para entrar em casa, aquela licença informal, sincera, que toleraria sem insistência uma negativa. Àquela altura, Hitler já suspendera a indenização para os Aliados, não havia mais tropas estrangeiras no país, a economia bombava com o rearmamento e havia pleno emprego com o Exército se inchando de gente antes desempregada.'

"'Para dar prestígio a sua visita, ele disse que era da ss, a tropa de elite da nova Alemanha. Aceitou os petit-fours que mamãe ofereceu com uma taça de schnapps, teceu alguns comentários desnecessários sobre o renascimento da Alemanha, pois já os conhecíamos e apreciávamos, e então abordou o motivo da visita. Disse que o Führer já havia cumprido suas promessas, mas que aquilo era apenas o início. As medidas de higiene para limpar a nação dos culpados pelo vergonhoso tratado de Versalhes estavam começando a ser implementadas. E não ia ser fácil nem agradável. Mas os fins justificavam os meios. Depois, mudou de assunto para aliviar um ambiente que, ele percebera, não combinava com os petiscos pacíficos e apetitosos que mastigava.'

"'Lembro-me de ele falar da Bíblia, pois sabia que éramos cristãos devotos, frequentadores da igreja. Falou de Josué com seu shofar derrubando as muralhas de Jericó. Ou de Sansão fazendo o mesmo no coliseu dos filisteus. Havia gente nesses lugares. Quantos deles morreram? Mil? Dez mil? Ele disse que a Bíblia não fazia essa contabilidade nem precisava. Aquelas pessoas eram apenas coadjuvantes perfeitamente dispensáveis, não tinham alma nem individualidade. Eram sombras que deslizavam pelas páginas do Bom Livro rumo ao esquecimento. Por fim, ele se calou, escrutinou atentamente o rosto de meus pais e disse devagar, salientando cada sílaba, como se fosse uma evocação, como se fosse o amém de um crente: '*Deutsch-land er-wache!*'. Alemanha, acorde! Wotan, nossa divindade mitológica, não tem nada a dever a Javé.'

"'Para meus pais, os quinze anos de privações após a Primeira Guerra tinham sido como um pesadelo sombrio do qual precisavam acordar e não sabiam como. O Führer ensinou-o. O Uniforme Preto iria indicar-lhes o caminho para a redenção, o dever sagrado de cada um na construção da nova Alemanha, orgulhosa e poderosa. O visitante perguntou se poderia contar conosco, como se ainda houvesse dúvida. Ele explicou ainda a transferência de papai da polícia civil, onde era tenente, para a ss, e, como detalhe sem muita importância, mencionou sua promoção e a triplicação do salário. Os olhos de mamãe brilharam. Ele havia mencionado Sansão, e eu acrescentei: cuidado com a Dalila, papai, ela é má. Fruto das aulas de catequese. Mamãe pegou a deixa e se dirigiu a papai, pedindo que seu querido Sansão derrubasse os prédios, mas tomasse cuidado com as melenas, pois ela as cortaria se ele deitasse olho gordo em Dalila. Todos riram, e assim o Mal entrou em silêncio, sorrateiramente, em nossa casa, e papai mergulhou de cabeça, alegremente, intrepidamente, naquela imensa escuridão. '*Not with a bang, but a whimper.*' Escreva sobre isso.'"

20

— O telefone tocou, o médico queria saber sobre a situação na UTI. Estava no viva-voz, e eu escutei a conversa. "Enfermeira, como está o paciente no dezoito?" Sou eu, concluí, e agucei os ouvidos. "Está melhor, doutor. Contei para ele umas histórias de terror daquelas que despertam ou enterram de vez. Parece que ele despertou."

"'Lembre-se de contar para mim também', disse o médico. 'Adoro levar susto de moça bonita.'

"Perguntei-me se era um simples galanteio ou se ele estaria a fim da 'minha' Ingrid. Senti um inesperado e inoportuno ciúme. Desligaram e ela comentou: 'Amanhã já vai para o semi-intensivo e começa a fisioterapia'. Consultou o relógio. 'Ainda tenho um tempinho, vou te contar outra história de terror: como foi que eu te perdi... ou melhor, os antecedentes do meu pontapé no seu rabo, como preferir.'

"'A perda, Ingrid, prefiro a perda. Pensei bem e fico com o remorso. Dispenso a autoestima.'

"Ela se mostrou pouco lisonjeada com minha escolha. 'Pois é, pouco depois de te apresentar aos meus pais, apareceu outro alemão lá em casa. Horst Buchholz. Lembra dele? Vocês se conheceram. Pois ele voltou dias depois e mamãe logo me chamou e disse que ele queria falar comigo.'

"'Ele entrou no meu quarto e parecia um diplomata sisudo da época longínqua da República de Weimar. Terno escuro com discretas riscas de giz, paletó com lapela larga que havia tempo não se usava mais, gravata preta com faixas brancas estreitas e cintilantes. Segurava um copo de limonada na mão, que mamãe devia ter servido a ele, sutil lembrete de que ele viera com a aprovação materna, com passe livre para entrar em nosso núcleo familiar.'

"'Ele me cumprimentou em alemão, com sotaque austríaco, e disse que era um antigo camarada de meu pai do tempo da guerra. Inclinou-se cerimoniosamente, mas, com relutante respeito aos tempos modernos, não bateu os calcanhares. Ainda bem, porque eu havia adquirido, durante a guerra, alergia à batida de botas e ficava com calafrios ao escutá-la. Pois é, neurose de guerra.'

"'Ele se sentou, mesmo sem ter sido convidado, e me perguntou se eu já ouvira falar na Odessa. Sem aguardar a resposta, disse que era a fraternidade dos ex-oficiais da ss. Eu sentia uma vontade irreprimível de ofendê-lo. 'Mais uma fábrica de cadáveres?', perguntei. Ele desviou-se da provocação: 'Não, senhorita, somos uma organização de ajuda mútua. Nossos desafetos estão aí, ativos e determinados a se vingar. Temos que nos proteger. Quanto à fábrica de cadáveres, não a nego. Cometemos muitos erros no passado, e a questão judaica não foi o menor deles. Para falar apenas dos aspectos práticos, já pensou se Einstein tivesse permanecido na Alemanha? Quem é que teria inventado a bomba atômica e ganhado a guerra? Pois é. Mas, cara Ingrid (posso chamá-la assim?), podemos reescrever o passado à vontade, mas não podemos revivê-lo e, muito menos, corrigi-lo. Cabe-nos apenas proteger nossos camaradas da perseguição dos desafetos'. Achei até divertido apelidar as antigas vítimas dos 'campos' com a palavra desinfetada, insípida e anestesiada 'desafetos'.'

"'Como eu cheguei à Odessa?', ele perguntou a si mesmo, pois eu não tinha falado nada e rezava para que ele sumisse. 'Já ouviu falar de Simon Wiesenthal, vulgo 'Caçador de Nazistas'? Pois esse cavalheiro saiu vivo de Auschwitz, jurando vingar o extermínio de seu povo. Resolvi fazer igual, porém com sinais trocados. Nós da ss viramos os judeus da segunda metade do século xx. Caçados impiedosamente, sem ninguém para defender a nós e a nossas famílias. Juntei-me à Odessa por questão de lealdade.'

"'Comecei a escutá-lo fascinado. Wiesenthal campeava uma causa justa e vitoriosa. O mundo a favor, e ele nadando de braçada. Uma orquídea vistosa enfeitando a horta dos poderosos. E o Horst, como fica? Uma flor campestre murcha sem perfume crescendo entre urtigas. O destino ingrato dos perdedores.'

"'... mas agora os genocidas da gema começam a faltar. Morreram ou são presos. Sobram apenas peixes pequenos. Genocidas do varejo. Preciso mudar de ramo. Pensei em arqueologia. Não sei.'

"'Sorri por dentro. Se fosse a arqueologia, temo que o papel que lhe caberia seria o da múmia apodrecendo no sarcófago. Jamais o do arqueólogo. Com sua indumentária de virada de século, toneladas de brilhantina prendendo os poucos fios de cabelo à testa e o jeito pedante — e irritante — de falar e de agir, ele fora talhado para coadjuvante. Não para protagonista.'

"'Tomou um gole de limonada e forrou minha escrivaninha com o guardanapo antes de colocar o copo cuidadosamente sobre o pano. Ele então retomou o assunto que o havia levado à minha presença, a pedido de meu pai, que lhe contara sobre meu namoro com o judeu Gabriel. Nada contra, apressou-se em dizer; comentou que, para a Odessa, não existia mais a questão judaica. Mas existia da parte deles. Já pensou se o rapaz descobrisse a identidade de meu pai? Comandante de campo e dos mais notórios! Uma fotografia antiga, um jornal, uma revista, indiscrição de alguém e pronto. Como ele iria reagir?'

"'Perguntei o que queriam de mim, mas já sabia a resposta. O copo de limonada começou a rodopiar à minha frente, e escutei, cada vez mais distante, cada vez mais dolorosa, a resposta do alemão: 'Que este namoro termine enquanto é tempo. Portanto, já. Se não for assim...', e passou o dedo indicador pela garganta. 'Sinto muito, mas, para proteger seu pai, não há alternativa.'

"'Ele se levantou da poltrona, inclinou-se ligeiramente em sinal de partida e se apossou de minha mão como se apossava de uma cidade sitiada. Senti seu beijo no dorso da mão, gélido, indiferente, um defunto não faria pior. Esboçou um quase inaudível boa-noite e depositou o copo com todo o cuidado para não riscar o tampo da escrivaninha. Então deslizou porta afora como o anjo da morte cujas asas nos afagam no fundo de nossos pesadelos e que se afasta com a brisa da madrugada. Mas ele não se afastou de vez. Eu intuía, eu sabia com certeza que ele me aguardaria do lado do avesso aonde eu mesma compareceria logo mais, na minha partida prematura, pois eu não viveria sem você... A única saída que me restava: imolar-me viúva sem nunca ter me casado.'

"'Eu sentia uma névoa densa e irrespirável baixar sobre mim enquanto via o alemão se distanciar até sumir. Uma catatonia que eu jamais havia experimentado antes me desligou da realidade, e eu delirava sem freios. Lembre-se, dizia uma voz do fundo da neblina, sangue jamais vira água. Pai psicopata gera filha psicopata. Falta apenas a oportunidade para a herança paterna irromper, livre da censura moral, ébria e doida. E se eu tivesse nascido dez anos antes? E se tivesse havido mais uma divisão (uma só!) de reserva para segurar a ofensiva russa em Stalingrado? E se o inverno russo daquele ano tivesse sido um pouco mais ameno? Apenas uns dois ou três graus centígrados a menos! Hitler teria prevalecido e eu teria chegado aos meus dezessete anos como filha de herói da pátria, 'noiva do Führer', e ele me daria os parabéns, beijaria minhas bochechas e ofereceria em bandeja de prata a chave de ouro de um campo de concentração novinho em folha, completo, com câmara de gás e forno crematório, onde eu poderia brincar à vontade, exterminar à vontade. Um campo exclusivo para chamar de meu com meus judeus perfilando à beira da vala comum. Esses judeus que vivem duas vidas, uma antes da morte, conformados e obedientes, e uma depois, quando, voluntariosos, eles teimam em desafiar-nos, desafiar a raça superior, teimam em mudar de vala. Ainda bem que o processo de decantação lhes ensina uma lição de eficiência germânica. Dou um tiro na cabeça de um deles, que desaba na vala, e eu intuo, ou melhor, eu sei que acabei de executar você, Gabor. Vejo Eros e Thanatos abraçados como irmãos, ninguém poderá mais separá-los, nem mesmo Freud. Eles dançam a dança da morte e pulam na vala felizes, despreocupados, e eu também pulo nos braços cinzentos do cadáver que era Gabor. Acordo do devaneio e surpreendo meus lábios em espasmos e contrações, e escuto sua súplica: Gabor, Gabor, eu não vivo sem você.'

"'Pronto. A conta de Auschwitz, de Treblinka e dos demais campos havia desabado no meu colo. Será que eu não poderia nunca ter um namoro normal, mesmo que fosse com a carga usual de decepções, ciúmes e dores de cotovelo como nos sambas-canções de Orlando Silva e Maysa, a cujo ritmo dançávamos nas matinês de sábado à tarde, lá na escola de dança de Frau Osterland na rua Frei Caneca. Lembra? Teria que haver sempre réquiens e cantos fúnebres acompanhados por turíbulos com cheiro de cemitério? Por que deveria eu pagar o pesado tributo pelos pecados de meu pai? O que poderia fazer? Ao mar de sangue derramado, minha herança paterna acrescia logo mais o seu sangue, Gabor, dessa vez de minha própria lavra, e já enxergava-o jorrando em cascata do seu cadáver. E os dias passavam cada vez mais carregados de fatalidade, cada vez mais tenebrosos. Eu não suportava mais: precisava estancar aquele contínuo fluxo de sangue, e só havia um jeito. Extirpar Thanatos de minha vida, e, para apaziguá-lo, entregar-lhe minha alma.'

"Para reforçar o clima de funeral na UTI, através da névoa dolorosa de minhas infusões, apareceu a mãe de Ingrid, indignada, injustiçada: 'Senhor judeu', ela me interpelou. Fiquei pasmo com o apelido. Já me chamaram de muita coisa na vida, mas 'senhor judeu' lavrou seguramente uma primeira vez. 'Não é justo, não mesmo. Por um deslize cometido há muitos anos em plena guerra, condena-se um cidadão exemplar, pai e marido exemplar, trabalhador íntegro...'

"Refleti, consternado: para ela, minha ascendência racial 'exuberante' (convenhamos, porém, a bem dela, antes o termo usado teria sido 'degenerado') continuava a ser o traço mais relevante do meu caráter. Eu era o mesmo bípede exótico, brincando com a filha ocasionalmente de papai-mamãe. Em sua cabeça nada havia mudado nos últimos vinte anos.

"Ingrid interveio e afastou-a com uma respeitosa, mas impaciente, cotovelada."

21

— E ela continuou com suas reminiscências: "Deixe para lá e pense bem, só peru é que morre na véspera. Temos muito tempo a viver ainda. Esta semana não conta mais, na próxima o anjo da morte certamente vai me conceder para eu tomar minha decisão, na semana seguinte é Corpus Christi, e na sexta-feira é ponte do feriado, e ninguém mata nos dias de descanso. Ou mata? Até lá, muita coisa pode acontecer. *Carpe diem*, aproveite o dia! Tem ótimos filmes para assistir, e o Gabor alegre, despreocupado, sem saber de nada, vai me bolinar no cinema, e depois o sexo... o sexo! E as refeições régias no La Cocagne que nos aguardam... Vá lá, sejamos modestos, no Frevinho...

"'Ou então podemos fugir. Taiti, ilhas Cayman, Shangri-La, ou nos mudar para Pasárgada, onde somos amigos do rei, seja lá onde esse pedaço de Paraíso se encontrar. A dura realidade tem como sempre a última palavra: o rei é generoso em poesia, mas não em pecuniária. E viveremos lá de quê? Não dá.'

"'Já sei. Denuncio o Anjo Negro à polícia. Chantagem, incitação ao homicídio. Deve dar uns dez anos de reclusão. Mas e daí? O mundo está cheio de anjos negros, pardos, azuis... Anjo de morte é o que não falta. Virá um de indumentária, algo diferente: em vez de gravata e terno solene, camisa polo; em vez de limonada, suco de laranja ou mesmo um negroni com gelo; em vez de revólver, adaga; e Gabriel estará morto do mesmo jeito.'

"'Minha alma enxergava velório e escutava canto fúnebre, meus dedos viravam garras enquanto discavam seu número no telefone. Combinamos aquele encontro na Yara e o resto você já sabe. O Juízo Final deve ser assim. Os incautos convocados para a derradeira prestação de contas. Só que dessa vez as contas eram minhas.'

"'Feito. Extirpei-te da minha vida, mas, desgraça minha, não da alma. Aos sábados à tarde, sob o efeito de sedativos, sonhava com sua presença saudosa, dolorida, sentia seus dedos envolvendo carinhosamente meus mamilos, seus beijos, o gosto de sua saliva em minha boca e as palavras... quanta bobagem de amor, quanto lugar-comum entre amantes e quanto maná caindo do céu e agora retido para sempre.'

"'Então procurei um psicanalista, um velho judeu (só entra judeu na minha vida, por que será?), disse que conheceu Freud, e ele escutou minha história com a paciência da profissão até chegarmos à identidade de meu pai. Aí então o espanto e o horror venceram, e ele se esqueceu do profissionalismo e fez inúmeras perguntas, a ponto de eu indagar a mim mesma quem analisava quem.'

"'Depois ele me falou dos dois deuses gregos do Olimpo que emprestaram o nome às pulsões opostas que regem nossos instintos. Eros, o deus da sensualidade, da libido, do amor, da vida, eternamente embriagado por si mesmo, anda sempre pelo lado ensolarado da vida, se apaixona, mas não se compromete. Leve, lindo e solto, não carrega lastros do passado, é eterno enquanto dura. Thanatos (morte), pelo contrário, não perdoa nem esquece, viceja no eterno, é lúgubre e soturno, é da noite sem luar, é o Zorro sem máscara, e assim vai.'

"Procurei sorrir, mas Ingrid continuava indiferente.

"'Ele disse ainda que a natureza, precavida, depositou os dois nas extremidades opostas de nossa alma para que jamais se encontrassem. Do contrário, assim como a matéria e a antimatéria na física, eles se repeliriam, se aniquilariam mutuamente. Foi o que aconteceu com Romeu e Julieta com referência ao amor entre os dois (Eros), e ao sangue derramado entre as duas famílias (Thanatos). Agora era minha vez, apaixonada por um judeu e, ao mesmo tempo, herdeira do Holocausto... O amor doce e singelo se confronta com um mar de sangue; surge a vontade, depois a obsessão de se redimir, de construir uma ponte entre as duas margens desse mar, entre pecado de um lado e perdão do outro. A ternura frívola de Eros se confronta com a missão lúgubre de Thanatos, o desejo e o amor colidem com a santa cruzada, com a missão sagrada de toda uma vida. E salve-se quem puder. Com essas palavras encorajadoras, eu ainda lhe perguntei o que devia fazer para exorcizar o cruzado de minha existência, pois eu não tinha vocação para Ricardo Coração de Leão. O miserável me respondeu: 'Eu posso lhe fornecer a narrativa, mas não a solução'. Embolsou os honorários e me dispensou.'

"'Pois eu tinha de encontrar a solução. Então, iniciei um holocausto particular, só meu, visando uma única vítima: você. Resolvi te erradicar da minha vida. Apagar o presente com sua nefasta saudade, o passado com as lembranças sulfurosas, e em especial o futuro que não existia mais a não ser em minha imaginação febril.'

"'E deu certo?', perguntei, sentindo a aceleração de meu metabolismo em antecipação à resposta.

"'Estou aqui com você, não estou?' Ingrid deve ter percebido um ricto de satisfação nos meus lábios; lembrou-se da missão assumida, arrependeu-se e logo acrescentou: 'Em todo caso, obrigada por não ter morrido no meu expediente. Faria um rombo medonho no meu currículo'.

"Com esse novo gesto de 'geladeira' sinalizando indiferença, como se eu fosse um cadáver em plena decomposição, ela olhou para o relógio, deu dois tapinhas em minha perna e levantou-se.

"'Meu expediente acabou', disse. 'Até algum dia em outro mundo. Talvez.'

"Interrompi-a angustiado: 'E você nunca perguntou ao teu pai sobre aqueles anos de escuridão?'.

"'Claro que perguntei', respondeu, e ajustou o elástico que prendia seu rabo de cavalo. 'E ele disse, todo empertigado, que sempre fora um cidadão exemplar, cumpridor das leis. Ora, as leis de então decretavam a extinção dos judeus, e ele agiu de acordo. Em 1945 as leis mudaram, e eu nunca mais toquei em judeu algum', emendava. 'Recebo-os até na minha casa', concluiu. 'Ele estava se referindo a você, Gabor. Depois ele assumiu ares de intelectual (algo que definitivamente ele não era) e pontificou: '... porém, as leis nunca são retroativas. Cada comportamento deve ser julgado conforme as leis vigentes na época. Logo, eu sou inocente'. Acho que ele confundia leis, que são circunstanciais, com moralidade, que é perene. As leis raciais de Nuremberg em lugar dos Dez Mandamentos. Não sei.'

"Antes de sair, ela bateu na testa e complementou: 'Ia me esquecendo. Na época de nosso namoro, eu só sabia que meu pai havia trabalhado em coisas administrativas do campo. E eu nunca perguntei nada. Mais conveniente assim. Que nem você. Depois daquela dúvida no parque sobre a atuação de meu pai durante a guerra, aliás jamais esclarecida, você nunca mais voltou ao assunto. Entre a verdade e o sexo, preferiu me bolinar. Que judeu mais relapso, e depois falam de mim'.

"Ela deu um passo para trás e eu deparei com as sandálias da nereida. Sensual, ela esfregou seu corpo no meu e depois se afastou, decepcionada com a passividade de minha figura inerte. Molhou o dedo com saliva e introduziu-o na vagina com o olhar sedutor e inocente de quem lembrava apenas vagamente de como se faz sexo. 'Mais mil anos desperdiçados', devia estar pensando ao finalmente desistir de me seduzir e mergulhar frustrada no riacho.

"'Mas nós sabemos fazer sexo, não é mesmo, Gabor?' Ingrid está novamente à minha frente, as sílabas voam, dissolvem-se em meus ouvidos, e já não sei mais quem diz o quê para quem. O oxigênio deve estar baixo de novo, preciso avisá-la, penso, depois nem mais isso.

"E essa foi definitivamente a última vez que eu vi Ingrid."

22

Sinto desconforto entre meus amigos Mosqueteiros. Eles não olham mais em meus olhos, fazem movimentos circulares com os copos para dissolver o gelo, mexem distraidamente chaveiros e canetas e refletem, imagino eu, sobre a melhor maneira de questionar a história.

A primeira investida parte de Alan. Ele procura assumir uma postura reflexiva que contrasta com a impetuosidade que dele se espera normalmente.

— Na minha opinião, a melhor definição de arte, e não me lembro mais quem a fez, é: "A arte existe porque a vida não basta". Agora veja a sua história, "Gabor e Ingrid", se posso chamá-la assim. Temos praticamente certeza de sua autenticidade como experiência de vida até o ponto em que ela te deu o memorável pontapé no rabo e disse: "Adeus, tenha uma boa vida". Até aí, temos uma história redonda, coerente, comovente, mas, convenhamos, um tanto convencional. Qual de nós nunca levou um fora da namorada? Claro, a sua vem apimentada pela origem incomum da moça. Mas, veja bem, estamos há dois dias escutando seu relato, com poucas horas de sono, cansados, com fome (seria uma indireta para Celso nos servir uma refeição mais substancial?), mas irredutíveis. O que estranhamos é a parte duvidosa da história quanto à sua autenticidade. AVC, UTI, anestésico, intubação e de repente Ingrid aparece, *deus ex machina*, do nada. Veja, não te culpo por isso, outros já recorreram à fantasia para criar uma história "porque a vida não basta". Shakespeare pegou o evento convencional dos dois amantes de Verona que se mataram por amor e transformou-o em *Romeu e Julieta*. Parabéns, sua história é muito boa, mas acho que temos o direito de saber, como bons ouvintes, até onde chega a vida, a realidade, e onde começa a ficção.

Celso não deixa por menos:

— Gabor, normalmente a arte imita a vida. Embeleza-a, dá trato à imaginação, reformula os contornos, suaviza o que é feio, realça o que é belo. Mas às vezes acontece o contrário. A vida é que imita a arte. Você é um escritor, e não é dos piores. E, como diz Alan, sangue jorrando no seu cérebro, anestesia geral, será que Ingrid (hipotética ou real) não tinha razão ao dizer que você deu vida a uma personagem da sua ficção cerebral de moribundo? Ingrid na UTI não seria um Pinóquio redivivo? Um sonho de valsa do balé *O quebra-nozes*? Ou, melhor, um diálogo entre o escritor Gabriel e suas dúvidas, remorsos e culpas? E olha lá que nem menciono a tal da nereida, seguramente fruto da tua admiração pela Antiguidade clássica.

Faço uma rápida introspecção crítica e não gosto do que vejo: como todos os escritores, levianos e inconsequentes por natureza, eu também invento, adultero e descarto vidas à toa e brinco com o sagrado: as palavras. Contudo o escritor do meu íntimo prevalece:

— Celso, por que privilegiar a arte sobre a vida ou vice-versa? Não quero ser pedante, mas, pense bem, o que vem a ser arte? É cria de um molusco que lateja no crânio e se acha cérebro, contrapondo-se a uma geringonça maligna, a vida, que inventa e faz acontecer holocaustos. Nenhum dos dois, vida e arte, inspira muita confiança. Isso posto, que diferença faz se minha história é fotografia fiel dos fatos ou se aproveitei meu livre-arbítrio para mudar o que não me agrada?

Celso pensa um pouco, amarra o pulôver pelas mangas na altura dos ombros, e eu praticamente vejo seu cérebro pulsando.

Seu consumo voraz de conhecimento só é igualado à capacidade de usá-lo quando a ocasião se apresenta. Ele é também o crítico mais denso e erudito de minha literatura.

— Existem duas opções extremas, e temos de dosá-las em nossa existência com parcimônia: a alucinação da arte sem vida e o primitivismo da vida sem arte. Será que você, como escritor, não carrega demais na primeira opção?

— Lembro-me do escritor Guimarães Rosa, digo, que eu conheci por intermédio de nosso amigo e guru, o filósofo Vilém Flusser. Ele contou-nos uma história de sua vida que talvez verta alguma luz sobre o dilema vida *versus* arte: uma feita, ele viajou para a Europa com compromissos assumidos em certa cidade em Piemonte. Pegou o trem e, sem querer, adormeceu. Acordou com o solavanco do trem ao chegar a uma estação, e, à sua frente, emoldurada pela janela do vagão, ele via a placa anunciando o nome do lugar: "Domodossola". Ele se lembrou de que o local onde o esperavam, onde havia hotel pago, negócios a serem resolvidos, ficava três estações para trás. O que fez ele? Tomou o trem de volta? Telefonou ou mandou telegrama? Nada disso. Ele sacou a caneta e escreveu um conto: "A dama da sala". Preferiu o feitiço da palavra, o som melífluo do nome da estação, à dura realidade dos negócios. "Prefiro a poesia à verdade", dizia ele. A verdade é filme em preto e branco. A poesia se apresenta em tecnicolor. Os olhos azuis e o cabelo loiro de Ingrid, também. Arte é indispensável.

— Então eu tenho outra história para te contar — diz Celso. — A tua história. Perdoe-me pelo sacrilégio da comparação, mas oitocentos e cinquenta mil inocentes tiveram que morrer e, mais ainda, a filha do comandante do campo teve que sacrificar sua virgindade para você descobrir tuas origens judaicas havia muito desterradas. Eles voltam agora em golfadas enquanto está nos contando a história de Ingrid. Pois eu lhes digo: não há escritor, por mais lacrimoso, por mais piegas que seja, capaz de inventar esse teu caso com a filha do carrasco. Pura água com açúcar que deixaria descrente qualquer adolescente consumidor ávido das novelas das sete. E você, como escritor, é bom demais para inventar um xarope desses. Só mesmo a incompetência da vida para a criação artística que explica esse desastre. Nem mesmo você acredita nessa história, e por isso a estamos discutindo. Mas a história de fato aconteceu, e isso legitima a embromação. E ela ganha de goleada de qualquer peça de ficção. Ponto para a vida.

— Então, como ficamos? — pergunto. — Lembro-me de uma história que me contaram: uma fulana entrou certa vez no ateliê de Matisse e comentou sobre um de seus quadros: "O braço desta mulher é comprido demais". Ao que o pintor respondeu: "Isto não é uma mulher, é um quadro". Da mesma forma, minha história não é sobre Ingrid, é sobre uma pálida lembrança de Ingrid revestida de literatura. Sobre o que sinto, penso e lembro de Ingrid. O tempo apaga a memória, e o amor-próprio deleta as escolhas erradas e a moralidade duvidosa. Há também, admito, a alucinação do escritor habitando mundos paralelos, e às vezes perpendiculares, que colidem com a realidade, ferindo-a mortalmente. E tenho ainda a pergunta que se recusa a calar: como é que Ingrid contaria a nossa história? Da realidade, daquilo que de fato aconteceu, sobra pouco. O filósofo alemão Wittgenstein tem uma frase memorável em sua obra *Tractatus Logico-Philosophicus*: "Afinal, por que existe algo e não apenas nada?".

— Seja como for — interrompe Mario —, precisamos acreditar em algum fiapo de realidade para não afundarmos definitivamente na areia movediça do "nada" de Wittgenstein. Temos de brigar com ele até o último "algo" que nos sobra. Comecemos, então, pela UTI, e responda prontamente. Às vezes a espontaneidade leva o melhor sobre a reflexão: ela estava lá, com você, na UTI?

Eles não desistem, penso, desanimado. Porém não estou a fim de entregar os pontos. O diabo é que nem eu mesmo sei ao certo. Estranhos não podem entrar na UTI. Então, o que faziam lá Ingrid e sua mãe naquele minúsculo espaço onde nem caberiam?

Respondo beirando o pânico:

— Sim, Ingrid estava lá, com certeza. Acho. Não sei. Estava, sim. — Em seguida, sinto o pânico se consolidar em indignação: — O que é isto? Tribunal da Inquisição? No hospital, entre a vida e a morte, mais para morte que para vida, pressão nas alturas, metabolismo por um fio, e vocês querem que eu dê garantias? As histórias que Ingrid me contou parecem racionais, lógicas, sequenciais, e qualquer outra (e pensei em muitas possíveis) pecaria no quesito credibilidade. Ora, entre uma alucinação de escritor com começo, meio e fim lógicos e uma realidade destrambelhada, eu fico com a primeira.

Celso toma um gole de chá, recompõe-se e, com voz pausada, ponderada, responde:

— O seu "molusco que se acha cérebro" transita desinibido, sem cabresto, entre a fantasia e a realidade e volta para a fantasia. Entretanto, mesmo admitindo que ele conte a verdade, tome muito cuidado! Você perde a vivência do toque sensual, do suspiro da intimidade e da fragrância do corpo amado, todos do domínio dos sentidos aos quais o "molusco" não tem acesso. Pense menos e sinta mais.

Relembro o aniversário de dezessete anos de Ingrid. Na época, quis lhe dar um presente à altura e comprei um perfume Bandit de Robert Piguet, seu favorito. Gastei minha mesada inteira e ainda sobrava perfume para pagar. Enquanto Celso fala sobre a primazia dos sentidos, eu sinto nas narinas a fragrância de Bandit: um toque de madeiras nobres esfumaçadas, uma sugestão de flor de laranjeira dando vida e viço ao perfume natural da pele de Ingrid. E enquanto penso, enquanto degusto, deliciado, o aroma que perdura na memória, resgato o rito de passagem da fantasia para o real. Sim, não tenho mais dúvidas, e dane-se o tamanho minúsculo do cubículo na UTI: ela estava lá, usava o mesmo perfume, a única sensação gratificante que me acolheu naquela câmara de tortura.

Um brilho acende os olhos de Alan, e já sei que ele encontrou um argumento para liquidar todos os demais de vez:

— Falando da credibilidade de sua história, que tal outra versão? Assim: Ingrid armou uma bela cilada para você se casar com ela. Então, caso o pai dela fosse preso, no tribunal, um genro judeu ficaria bem na fotografia. Portanto, tudo não passou de uma armação. Ela queria salvar o pai. Uma narrativa tão lógica e sequencial quanto a sua, e nem precisei recorrer a Wittgenstein — termina ele, triunfante.

Tomo um trago reforçado de Royal Salute para lubrificar a resposta:

— Com um milhão de cadáveres nas costas, eu poderia ser a fada da madrugada que não faria diferença. Ele estaria condenado do mesmo jeito. Seu roteiro faz parte das teorias de conspiração que não se sustentam diante de uma análise séria. E lembre-se: a arte pode inventar e desinventar vidas, fazer malabares com palavras, como os meninos da rua fazem com bolas nas esquinas de São Paulo, mas ela não é frívola e tem regras próprias e rigorosas. A consistência e a credibilidade entre elas. Como Celso diz, "O *deus ex machina* e as teorias de conspiração pertencem ao domínio da vida em que são incontestes, pois aconteceram de fato. Na fantasia literária, eles deixam uma incômoda interrogação e um esgar de incredulidade".

O sexto sentido apurado de Mario avisa-o de que estamos extrapolando, rumo a um beco dialético sem saída. Ele intervém no momento certo:

— Cavalheiros, cuidado com a compostura. O uísque é bom demais, os canapés, então... O que será que lhes confere este sabor delicioso? Gergelim? Kümmel? Este tipo de discussão faz sentido quando se tem menos de dezoito anos ou quando se é o próprio Wittgenstein. Proponho um brinde à alma do velho austríaco rabugento, e, que no futuro, quem quer que evoque seu nome e legado tenha pelo menos lido o *Tractatus* antes de fazê-lo. — Mario arriscou e acertou. Nenhum de nós, de fato, havia lido o livro por inteiro.

Este é Mario, o homem dos panos quentes, que conhece como ninguém a difícil arte de pacificar, e, ao mesmo tempo, sabe inserir em seu discurso uma sutil, inofensiva e contundente crítica às partes contenciosas. E, como a garrafa está ainda pela metade e nossa lucidez anestesiada por inteiro, resolvemos brindar às almas dos demais pensadores do século xx, para que eles não rolem em seus respectivos túmulos, consumidos pelo ressentimento e pelo ciúme.

Brindamos, logicamente, a Russell e a Whitehead. Depois, a Heidegger, com respeito, se bem que com certa relutância devido a seu passado comprometido pelo nazismo. A Sartre, o uísque diluído em um dedo de água remanescente do gelo de Heidegger. A Camus, a bebida descendo redondo, honestamente, sem agredir a bile. Com Husserl, ébrios, não sabemos mais o que temos nas mãos: um pedaço de vidro transparente, com um líquido amarelo flutuando fenomenologicamente por dentro. O que será? Chegando a Arendt, o Mal não nos parece tão banal assim. Ah, sim, naturalmente, nos lembramos também de nosso guru e amigo, Vilém Flusser.

E assim termina a última gota da garrafa.

23

A rua começa a despertar, e meus amigos absorvem, com avidez, o ruído monótono do cotidiano, depois de terem escutado a história sem fim de duas vidas em rota de colisão. O ronco monótono de alguns poucos carros despertos a esta hora da madrugada, fiapos de conversa e o pipilar de pássaros madrugadores nos reportam de volta à realidade. Celso oferece uma última rodada de uísque.

— Saideira — diz ele, e eu recuso o gelo. O uísque servido em sua casa é bom demais para ser diluído.

Há um longo silêncio na biblioteca, e nem mesmo Alan, que jamais deixaria passar oportunidades para fazer suas observações cáusticas, nem mesmo ele ousa desviar os olhos da bebida preciosa.

Aproveito o intervalo e penso em Ingrid. Além do amor que sentia por ela e da tempestade de hormônios que me açoitava, Ingrid representava, para mim, algo maior, mais sublime, inalcançável para minhas modestas pretensões e mesmo assim real: que, depois de Auschwitz e de Treblinka, existe ainda futuro para a espécie humana. Afinal, a herança genética não decide tudo, e o fruto pode, sim, cair longe da árvore, e Deus errou ao castigar as dez gerações. Estou desafiando Deus e a ciência, é muita presunção, eu sei, mas pouco me importa. Ingrid, com sua rebeldia e contestação, e em especial com sua atitude de namorar — *horribile dictu* — um judeu, desafiou a intolerância que imperava na época. Há esperança!

E também me recordo do pai dela, com a serenidade do tempo decorrido. A decisão de me receber no santuário de seu lar deve ter sido penosa e difícil. Imagino o diálogo do pai indulgente e zeloso com sua filha querida. "Você é maior de idade, namore quem quiser, mesmo que seja judeu, porém não o traga à nossa casa." Mas não, ele não falou isso, queria me conhecer e me recebeu muito bem. Por quê? Penitência ou arrependimento por uma vida mal vivida? Ele conhecia judeus apenas em pilhas fétidas de carne podre em Treblinka. Agora, em uma espetacular inversão da lógica sequencial, havia decidido, finalmente, conhecer em vida e em cores um exemplar do povo que antes exterminava.

Celso interrompe minhas divagações:

— Suponhamos que Ingrid entre pela porta agora. O que você diria a ela?

Encaro a pequena porta de mogno a minha frente, uma praticidade arquitetônica para ligar a biblioteca aos demais ambientes da casa, cercada e esmagada de todos os lados por livros e mais livros sobre arte e fantasia. O real e o prático cercados por sonho e abstração. De repente, intuo minha preferência pela biblioteca de Celso para contar a história sobre Ingrid.

Três pares de olhos, seis pontos de interrogação, contemplam-me e aguardam a resposta. Eu demoro para assimilar a pergunta, deixo-a rolar de um lado para o outro do meu cérebro.

— Depende de qual Ingrid entrasse. A jovem, alegre, recém-convertida em mulher, ou uma matrona em marcha batida para a velhice, mais preocupada com o trôpego equilíbrio no andar do que com o impacto visual de suas pernas longilíneas...

Interrompo, pois, de repente, um flashback me transporta de volta para a UTI. Entre os tubos e os fios que me prendem, parece que estou num sarcófago lacrado, e então vejo Ingrid entrando. Sinto-me como a múmia de Tutancâmon ao avistar, pela primeira vez, os arqueólogos que acabaram de invadir seu túmulo. Já estou do outro lado, embalsamado, o mundo não me diz mais respeito, porém, ainda assim, pergunto-me, angustiado, o coração a toda: qual foi a Ingrid que havia entrado no meu domínio exclusivo há muitos milênios? O cabelo é loiro, não é? O topete de enfermeira esconde-o, não sei. E as rugas, há rugas? Será que as minhas se espelham em sua pele? Na escuridão da tumba, como vou saber? E o corpo esbelto, o andar saltitante, o sorriso de adolescente, entraram com ela? Meu corpo embalsamado finalmente cede às lembranças da vida: mas é claro que entraram, fantasio com ternura. Se não fosse assim, ela não seria Ingrid. Nós nunca envelhecemos: eu, mumificado e eviscerado para durar pela eternidade, e ela, viva e viçosa em minha memória. Nós jamais perdemos a espontaneidade da juventude. Procuro evitar os rompantes exuberantes de minhas lembranças e me pergunto, novamente comedido, porém com perseverança obsessiva: afinal, quem esteve comigo na UTI naquela noite do AVC? E aí o espanto, o sobressalto, sim, me lembro agora. Ao sentar à beira de minha cama, Ingrid levantou a ponta de seu avental e deixou à mostra o conjunto de algodão azul-turquesa estampado, o mesmo que havia usado naquela primeira vez que eu a encontrara no curso de Madureza Souza Diniz, havia quase meio século. Não pode ser. Ela é mulher vaidosa, e aquele conjunto não serviria mais nem mesmo para pano de chão. Custa-me admitir: meus amigos Mosqueteiros têm razão. Ingrid é a fantasia de um intubado com o metabolismo cambaleando nas fronteiras da extrema-unção. E o que relato aqui é metaliteratura delirante de um escrevinhador moribundo.

Mas, atenção, talvez haja uma interpretação divergente. Ingrid pode ter comprado outro vestido do mesmo tecido, da mesma cor, lembrando de mim com saudade. O pensamento me deixa envaidecido e, logo mais, envergonhado: não mereço tamanha deferência; provavelmente Ingrid nem se lembrava mais de mim ou, caso se recordasse, seria com amargura, com desprezo por aquele covarde que a abandonara quando ela havia mais precisado dele. Mas, com certeza, e definitivamente, ainda sinto o calor amoroso de suas mãos sobre minha perna na UTI! Delírio de Tutancâmon? Lembranças saudosas de Ingrid emergindo da opacidade dos anos que passaram? Uma fantasia torpe e sem graça de um namoro casual ou talvez nem isso?

Celso insiste:

— Chega de devaneios, Gabor. E se ela entrasse pela porta?

Já assimilei o impacto inicial da pergunta e respondo prontamente:

— Conheci um velho judeu sobrevivente dos "campos" que avaliava as pessoas não pelo dinheiro que haviam amealhado ao longo da vida nem pela fama ou prestígio social, muito menos pelo poder que tinham adquirido. Avaliava-os pelo caráter, e, para isso, fazia a si mesmo uma única pergunta: "Se Hitler voltasse amanhã, eu poderia contar com tal pessoa para me esconder?". No caso de Ingrid, eu garanto. Pois, se ela entrasse pela porta, eu me ajoelharia, a abraçaria e beijaria seus pés em gratidão por ter salvado minha vida da Odessa. Ah, sim, e pediria perdão por ter tocado minha vidinha como se nada do que aconteceu entre nós me dissesse mais respeito. É o mínimo que poderia fazer. E tem mais: já decidi, vou seguir o vosso conselho, e escreverei um livro sobre meu relacionamento com Ingrid. E vocês, Mosqueteiros, vão participar também. Bom que saibam desde já. Vocês não vão me deixar só nessa empreitada.

— E desta vez, como vai ser? — indaga Mario, provocativo. — Tipo verdade, vida, ou tipo mentirinha, fantasia?

— Mentirinha, não — respondo, enfaticamente. — Não descarte a fantasia assim tão levianamente. Ela é frágil, concordo, e cumpro apenas o papel do artista: moldo a matéria-prima, a vida, que a realidade sovina nos oferece a conta-gotas, e procuro dar-lhe substância, robustez. E, em especial, poesia. Querem ver? Claro que a tal da nereida nunca existiu. A verdade é que eu descartei a cueca virada, pois uma babá que eu "comia" regularmente por cinquenta pratas achou estranha a abertura da cueca encostada no meu rabo. "O freguês dá o rabo por aí?", perguntou ela, desconfiada. Ora, amigos buliçosos, na minha narrativa, vocês preferem a nereida mitológica, com milênios de atraso sexual, ou a babá fedendo a mijo, com conversa de baixo meretrício? As alturas míticas de Olimpo ou as esquinas nas docas de Santos? Pois é, adivinhei. — E acrescento ainda, procurando ser engraçado, e também por falta do que dizer: — Os italianos têm um ditado: *Se non è vero, è ben trovato.* O *vero* se refere à verdade débil, descartável, como a babá, e o *ben trovato*, à fantasia exuberante, enriquecida pela imaginação. A nereida.

Celso observa, meditativo, talvez até receoso:

— Muito cuidado. A tua história é forte demais, dramática demais. É fácil cair na armadilha, de um lado, do folhetinesco e, do outro, do dramalhão. Não se pode escrever *Romeu e Julieta* pela metade, nem pelo dobro.

Não se toca mais nos canapés, e eu imagino Ingrid entrando, agora, na casa de Celso, com seu vestido de algodão azul estampado igualzinho àquele que eu associo a ela em nossos encontros e em meus devaneios, ou, como diriam os Mosqueteiros, com malícia, em meus encontros de devaneios. Pensando bem, o vestido caseiro não é apropriado para uma primeira visita, contrasta com a elegância casual, mas pedante, de meus amigos; sim, definitivamente, poderia ser mais formal. Mas, vá lá, o que lhe falta em indumentária lhe sobra em caráter. Ingrid derrubou galhardamente das costas, com um piparote, a carga pesada, a herança de seu pai, com suas — quantas eram mesmo? — oitocentas e cinquenta mil ou um redondo milhão de vítimas. Você tem luz própria, menina! Não está mais amuada como da última vez que a vi, vislumbro até um quase sorriso nas bochechas. Aguarda que eu tome alguma iniciativa. "Eu já fiz sua apresentação", digo, e não sei se ela me entende, acho que não.

E penso em nosso passado: fiapos de alucinação urdidos numa teia vaporosa de devaneios, que, adensados pela imaginação, adquirem forma, corpo e raízes fincados numa espécie de realidade particular só de nós dois. Pura poesia? Paciência, não se pode confiar em escritor.

Sentada, Ingrid observa, sem compreender, os olhares de respeito, mais que isso, os olhares de admiração dos Mosqueteiros dirigidos a ela, e, modéstia à parte, dos quais sobram migalhas para mim também. "Gabor", parecem dizer os olhares, "quem diria, ela existe mesmo." Sinto-me crescer no conceito deles, pena que seja apenas a ilusão de um devaneio. Ingrid cruza as pernas, tensa, provavelmente se pergunta o que foi que falei a seu respeito para merecer toda essa deferência, e aguarda que Celso ofereça um canapé ou ao menos pergunte a ela o que deseja. E eu reflito, melancólico: falta um ingrediente indispensável para minha história. Faltam Ingrid e suas respostas para minhas muitas dúvidas e suas dúvidas em relação a minhas certezas de escritor.

De repente, escutamos, vindo do jardim, o rumor abafado de terra remexida. De um minúsculo promontório de terra solta coberta de grama irrompe uma minhoca: primeiro a cabeça, depois os anéis, e, finalmente, o rabo, contorcendo-se laboriosamente. Decidida, a minhoca se dirige diligentemente — como se a vida não fosse apenas uma charada e fosse, sim, para valer — rumo aos confins do universo, rumo à redenção das dez gerações, logo ali, na próxima esquina.

De dia, assassino; de noite, pai carinhoso
Marcio Pitliuk

Considero errado chamar os carrascos que participaram do assassinato de 6 milhões de judeus durante a Segunda Guerra Mundial de nazistas. Nazista é a denominação de alguém que se filiou ao Partido Nacional-Socialista dos Trabalhadores Alemães. Aqueles que mataram, torturaram e organizaram o assassinato de seres humanos, por mais estranho que pareça, também eram seres humanos. Engenheiros, advogados, médicos, enfermeiros, arquitetos, empresários, banqueiros, militares e tantos outros profissionais, homens e mulheres, alemães, austríacos, lituanos, letões e de tantas outras nacionalidades participaram ativamente ou colaboraram de maneira altamente produtiva para o assassinato de judeus. Ser nazista não era condição sine qua non.

Quando denominamos esses criminosos de "nazistas", parece que nos referimos a uma entidade espiritual e física que surgiu das trevas durante os anos de terror da Alemanha dirigida por Adolf Hitler, circulou pela Europa, cumpriu sua missão e desapareceu como fumaça. Nada mais distante da realidade.

Esses assassinos foram empresários bem-sucedidos, profissionais liberais formados nas melhores universidades alemãs, militares orgulhosos de suas fardas e de suas medalhas conquistadas nas batalhas da Primeira Guerra Mundial. Também foram pessoas simples, de origem humilde, semianalfabetos, que, não fossem as oportunidades da Segunda Guerra Mundial, continuariam com seu dia a dia tranquilo e pacato no interior da Alemanha ou da Áustria.

Não sou psiquiatra para definir quem é ou não psicopata, porém posso afirmar que nem todos que colaboraram com o Holocausto eram psicopatas. Caso contrário, após a guerra continuariam a cometer assassinatos, e isso não aconteceu. Os empresários que aderiram ao nazismo não continuaram matando seus concorrentes ou escravizando seus funcionários. Os médicos e enfermeiros não seguiram a torturar seus pacientes e a fazer experimentos com seres humanos. Não há registro de policiais que torturaram até a morte suspeitos de crimes. Todos continuaram como antes no quartel de Abrantes.

Após Hitler estourar seus poucos miolos com um tiro na têmpora, dando um fim a sua horrível existência e à Segunda Guerra Mundial, encerrou-se o ciclo de crimes e de violência que imperou na Alemanha e se espalhou para os países ocupados. Os assassinos lavaram suas mãos sujas de sangue e retornaram para empresas, hospitais, indústrias, escritórios, cargos no governo, enfim, para a pacata rotina do dia a dia. A vida seguiu normalmente, mesmo que o passado escondesse milhares de cadáveres.

É claro que alguns fugiram, tiveram atuação direta nos assassinatos, mataram pessoalmente homens, mulheres e crianças, organizaram massacres em cidades ocupadas pela Alemanha nazista, trabalharam nos campos de extermínio. Em geral, quem colaborou apenas com trabalho intelectual ou teórico, como projetar os campos nazistas, desenvolver a estrutura industrial do assassinato, utilizar escravos até a morte pela exaustão, não teve maiores problemas. O pragmatismo lava mais branco. Afinal de contas, a Alemanha do pós-guerra precisava voltar a funcionar.

Um dos personagens principais deste livro, Franz Paul Stangl, levava uma vida pacata, sem maiores ambições, até que a oportunidade de carreira no Partido Nazista o transformou em assassino cruel, eficiente e dedicado.

Nasceu em 1908, no pequeno vilarejo austríaco de Altmünster, um local bucólico, cercado de montanhas e árvores frondosas. Sua família era muito pobre, tanto que seu pai, vigia noturno, morreu de desnutrição em 1916, durante a Primeira Guerra Mundial. Para ajudar no sustento da família, o jovem Stangl aprendeu a tocar cítara e, pelo visto, tinha talento, pois passou a dar aulas. O que nos leva a uma reflexão. Uma pessoa que toca um instrumento musical, a princípio, tem uma alma sensível, até delicada. É preciso sensibilidade para ser um artista e tirar as notas corretas de um instrumento.

É estarrecedor como uma pessoa assim pôde se tornar um assassino frio.

Sua segunda atividade profissional foi ser tecelão, que também é uma profissão mais delicada, mais sutil. Stangl não foi um trabalhador braçal pesado, como pedreiro, lenhador ou carroceiro. Assim como se tornou professor de cítara, também virou mestre tecelão. Gostava de dar aulas.

Aos 22 anos, mudou-se para Innsbruck e prestou concurso para entrar na polícia austríaca. Foi aceito e cursou a academia de polícia em Linz. Naquele mesmo ano, 1931, inscreveu-se no então clandestino partido nazista da Áustria. Em 1935, passou a ser investigador em Wels. Quando a Alemanha anexou a Áustria, no início de março de 1938, Stangl enxergou uma oportunidade de ascensão e entrou para a Schutzpolizei, uma espécie de exército do partido nazista, ligado à Gestapo, o serviço de repressão interna. Foi mandado novamente para Linz, para trabalhar no escritório que cuidava dos assuntos relacionados à comunidade judaica. Com toda a certeza não era para proporcionar bem-estar aos judeus. O nazismo oferecia grandes oportunidades a pessoas que não se preocupavam com o tipo de trabalho que iriam realizar, e, em maio daquele mesmo ano, Franz Paul Stangl mudou da Schutzpolizei para a ss, a organização paramilitar nazista famosa pelas violências que praticou durante a Segunda Guerra Mundial.

Uma tropa de elite formada por arianos considerados cem por cento puros. Os membros da ss prestavam serviços para diversas organizações ligadas à segurança do Reich. Por ser paramilitar, não obedecia ao comando da Wehrmacht, o Exército da Alemanha nazista. O comandante-geral da ss era Heinrich Himmler, que se reportava diretamente a Adolf Hitler.

Por conta de desentendimentos com seu chefe direto em Linz, Stangl viajou para a sede da ss em Berlim, em busca de outro posto de trabalho, e foi transferido para supervisionar a segurança do Projeto T4. Começa então sua carreira em centros de extermínio. T4 era o nome que escondia o programa de eutanásia forçada do Terceiro Reich. Pessoas com doenças físicas ou mentais, consideradas inúteis pelo governo, e que "conspurcavam" a pureza da raça ariana, deveriam ser assassinadas em centros espalhados pela Alemanha. Como isso deveria ser feito secretamente, caso contrário causaria a revolta dos parentes e dos alemães de bem, era importante que a segurança fosse bem realizada, e Franz Paul Stangl cuidou disso com todo o rigor e dedicação. Serviu sob as ordens de Christian Wirth, um dos primeiros e principais arquitetos do plano de extermínio dos judeus. Wirth era uma pessoa cruel, brutal e impiedosa, que ajudou a planejar as formas mais eficientes de cometer assassinatos em massa.

No início de 1942, foi realizada uma reunião em Wannsee, subúrbio de Berlim, à qual compareceram quinze autoridades civis e militares, e, no encontro, entre charutos cubanos e conhaques roubados da França, esses ilustres alemães definiram o plano definitivo de extermínio em massa de todos os judeus da Europa, sob o nome pomposo de "Solução final da questão judaica". A palavra *assassinato* foi evitada em todos os documentos. Eles sabiam que eram criminosos.

Stangl, a essa altura dos acontecimentos, tinha se mostrado muito eficiente na segurança do Projeto T4, e era muito elogiado por seu superior, Christian Wirth. Seu prestígio na ss cresceu e merecia promoções. Foram oferecidas duas opções: voltar para

Linz e dirigir o escritório da Gestapo, ou ir para Lublin, trabalhar com Odilo Globocnik, na Operação Reinhardt. Ambicioso, Franz Paul Stangl preferiu trabalhar para Odilo, um sujeito ainda pior que Wirth, como se isso fosse possível, no projeto mais criminoso do Reich: a Operação Reinhard, nada mais nada menos que o extermínio, o assassinato em massa dos 11 milhões de judeus europeus. Uma escolha arrepiante e assustadora.

O austríaco, que começara suas atividades profissionais como professor de cítara, assumiu o comando do campo de Sobibor, um dos locais na Polônia onde os judeus seriam assassinados assim que descessem dos trens. Esforçado e sempre em busca de eficiência, o ex-professor de cítara foi antes conhecer o campo de extermínio de Belzec, que já funcionava a pleno vapor, para aprender como tornar seu campo também bastante eficiente. É sempre bom fazer cursos de aperfeiçoamento, deve ter pensado. Em Sobibor, teve como assistente direto Franz Wagner, sobre quem escreverei adiante.

Manteve também conversas com Wirth, em busca de melhorias profissionais, e se informou sobre outro local de extermínio, o campo de Chełmno. O austríaco de Altmünster aprendeu bem suas lições e as colocou em prática. Um ex-prisioneiro reportou após a guerra que, em apenas três meses, Herr Kommandant tinha conseguido assassinar 90 mil judeus. Sua eficiência e dedicação não passaram despercebidas por seus superiores na ss. Um novo e imenso campo havia sido aberto, o de Treblinka, próximo à capital da Polônia. No entanto, o comandante que havia montado Treblinka era um péssimo administrador, o local era totalmente desorganizado e Globocnik precisava de alguém que colocasse ordem naquela indústria da morte, uma pessoa esforçada, dedicada e eficiente. Lembrou-se do austríaco que fazia um excelente trabalho em Sobibor e o chamou para comandar a imensa fábrica de cadáveres de Treblinka. Foi uma promoção, uma vez que esse campo seria maior que Sobibor.

Com toda a experiência adquirida no assassinato de mais de 300 mil pessoas em Sobibor, o antigo professor de cítara e mestre tecelão pôde ser muito mais eficiente e realizar um trabalho exemplar ao assumir, em 1º de setembro de 1942, o posto máximo de comandante do Vernichtungslager Treblinka.

Detalhista, mandou plantar flores perto dos alojamentos dos soldados, manteve o campo limpo e arrumado, circulava com uma jaqueta branca impecável. Construiu uma nova câmara de gás, com capacidade para gaseificar 3 mil seres humanos em duas horas. O processo de colocar homens, mulheres e crianças na câmara de gás, matá-los e então limpar o local para receber novas vítimas era tão eficiente que foi possível assassinar 22 mil pessoas por dia, para orgulho de seu comandante.

Estima-se que 850 mil judeus tenham sido assassinados sob o comando do eficiente austríaco.

Quando o Terceiro Reich desaba, Stangl é capturado pelo Exército norte-americano, que descobre suas conexões com o Projeto T4. Consegue fugir da prisão, e o bispo católico Alois Hudal, simpatizante do nazismo, arruma para ele um passaporte da Cruz Vermelha. Acompanhado de sua esposa e três filhas, vai para a Síria, fazer o que sabe: assessorar o presidente sírio na montagem de um departamento de repressão e tortura dos opositores de seu regime.

Sua filha Ingrid, menina de extrema beleza, atrai a atenção de um ministro do governo sírio. Esse ministro comunica ao pai de Ingrid, conforme o costume islâmico da época, que se casaria com a menina assim que ela se tornasse mulher.

Isso não estava nos planos dos Stangl, e a família novamente é obrigada a fugir, dessa vez rumo à América do Sul, refúgio de vários nazistas, e se estabelece em São Paulo. Seu antigo assistente em Sobibor, Franz Wagner, citado anteriormente, já vivia no Brasil, na pequena cidade de Atibaia. Se o Brasil foi coincidência ou sugestão do antigo amigo, não sabemos.

Franz Paul Stangl se sentia muito protegido, ou acreditava que seu nome não figurava na lista dos criminosos nazistas mais procurados, tanto que entrou no Brasil e viveu alguns anos tranquilamente com seu nome verdadeiro. Os antigos amigos conseguiram para ele um emprego na Volkswagen.

Sua filha se tornou uma bela mulher e encantou Gabriel Waldman, autor deste livro. Eles se enamoraram, Ingrid sabendo da origem judaica de Gabriel, mas ele nada sabia do histórico do pai dela. Tiveram um romance adolescente.

Franz Paul Stangl foi chantageado por alguém que pediu dinheiro para não o denunciar ao Centro Simon Wiesenthal, que caçava nazistas pelo mundo. Stangl achou que o chantagista blefava e isso custou sua liberdade.

Foi capturado no Brasil, extraditado para a Alemanha, julgado e condenado. Em entrevista que deu na prisão, o antigo professor de cítara afirmou: "Meu trabalho nos campos de extermínio era meramente burocrático. Não enxergava as vítimas como seres humanos e nem tinha algo pessoal contra os judeus. Eram cargas que desciam dos trens e deviam ser destruídas. Era um trabalho, como qualquer outro. Quando via os corpos azulados, por causa da asfixia, empilhados aguardando o momento de serem cremados, isso não tinha nada a ver com humanidade. Eram como lenha, deveriam virar cinzas". Também afirmou que "pessoalmente não matou ninguém". Ao ser condenado pelo assassinato de quase 1 milhão de pessoas, declarou: "Minha consciência está limpa. Eu apenas fiz o meu trabalho, o que deveria ter feito".

Franz Paul Stangl foi professor de cítara, mestre tecelão e policial, até que o destino mudou sua vida. Tornou-se um eficiente e dedicado funcionário do Terceiro Reich e um dos maiores assassinos da história.

Depois voltou à vidinha simples do pré-guerra. Um sobrado num bairro de classe média, um salário no fim do mês e um cargo na indústria automobilística.

Um cidadão comum, como qualquer outro, que passava despercebido e assim permaneceria não fosse por uma denúncia anônima ao Centro Simon Wiesenthal, que caçava nazistas pelo mundo.

Marcio Pitliuk é curador do Memorial do Holocausto de São Paulo, autor dos livros *O homem que venceu Hitler* (2020), *A alpinista* (2020) e *O engenheiro da morte* (2023).

Agradecimentos

Não é fácil conviver com um escritor. Em seus surtos de criatividade, ele abusa da paciência dos amigos, solicitando suas opiniões sobre cada novo lampejo dos neurônios.

Sorte minha que tenho amigos e familiares à altura.

Agradeço a minha família. A Simona, minha esposa de 56 anos (não de idade, mas, pasmem, de casamento), a meus filhos, Alessia e Demian, a meu genro, Marcelo, a minha nora, Manuela, e a meus netos, Bernardo, Felix e Cecilia, pela paciência com um marido/pai/avô abilolado, em plena efervescência criativa, ausente da vida prática enquanto o encanamento de casa entope e a conta de luz jaz esquecida numa gaveta. Haja paciência!

Agradeço a Celso Lafer e a Marcio Pitliuk, respectivamente, pelo prefácio e pelo posfácio deste livro. Ao próprio Celso, a Alan Meyer e a Mario Ernesto Humberg, por se prestarem ao papel de meus alter egos na figura dos Três Mosqueteiros desta história, representando minha própria consciência em diálogo contrito e culposo comigo mesma. Sem falar de suas contribuições à concepção do roteiro e à execução literária do livro.

A Edith Elek, meus agradecimentos por acreditar (certo ou errado) em meu talento literário e iluminar com precisão cirúrgica a trilha tortuosa partindo da cabeça do escritor até as mãos do leitor. A meus agentes literários, em especial a Luciana Villas-Boas e a Anna Luiza Cardoso, e a Tamires von Atzingen, a Diana Szylit e aos demais colaboradores da Buzz Editora, por seu olhar profissional que deu a esta obra o esmero que antes lhe faltava.

Variadas, porém não menos preciosas, foram as contribuições que recebi de Silvia e Jeffrey Arippol, Cecilia e Fabio Mendia, Lucia Facco e Monica Faldini Koren de Lima, e tantos outros cuja menção exigiria um livro à parte.

Obrigado a todos e peço desculpas.

Gabriel, com cerca de quatro anos, em Budapeste.

No Brasil, adolescente.

Jantar de casamento dos pais de Gabriel (ao fundo). Na fileira de baixo, a família de sua mãe; na de cima, a família de seu pai, da qual ninguém sobreviveu ao Holocausto.

Casamento dos pais de Gabriel.

O pai de Gabriel, à esquerda,
segura-o pelo braço.
Ao fundo, sua avó materna
e seu tio materno.

Gabriel, com cerca de um ano,
à beira do rio Danúbio.

Fontes KARMINA, NIKOLAI
Papel PÓLEN BOLD 70 G/M²
Impressão ESKENAZI